ДЕТЕКТИВ  ПРИКЛЮЧЕНИЕ

Дарья Калинина

Без штанов — но в шляпе

Москва

2013

УДК 82-3
ББК 84(2Рос-Рус)6-4
К 17

Оформление серии *С. Киселевой*

Калинина Д. А.

К 17 Без штанов — но в шляпе : роман / Дарья Калинина. — М. : Эксмо, 2013. — 352 с. — (Детектив-приключение Д. Калининой).

ISBN 978-5-699-63829-1

Лариса и Богдан никогда не думали, что станут жертвами обмана. Приобретенный уютный коттедж в красивейшем лесу должны снести в самое ближайшее время, а ведь риелторы их клятвенно уверяли: никакой застройки рядом не планируется. Но Лариса не может смириться с подобной несправедливостью! Она сама собирается наказать обидчиков и «нарыть» на них убойный компромат! Однако вместо этого у главы компании, занимающейся незаконным строительством, Лариса в подвале находит изможденного пленника, который передает ей зашифрованную записку и твердит ни много ни мало о Григории Распутине. Какое отношение имеет легендарный царедворец семьи Романовых ко всей этой истории и что делать с непонятным закодированным посланием, Лариса абсолютно не представляет. Здесь ей явно понадобится помощь сыщиц-любительниц Киры и Леси...

УДК 82-3
ББК 84(2Рос-Рус)6-4

ISBN 978-5-699-63829-1

ГЛАВА 1

Как известно, все бывает хорошо в свое время. К примеру, свадебные гулянья и белое платье хороши для молодых новобрачных. Тем же, кому сильно перевалило за полувековой юбилей, вступать в брак в белых нарядах, с фатой и флердоранжем просто нелепо. Умилительно видеть молодую мать с первенцем на руках, которая души не чает в своем ребенке. И грустно наблюдать за женщиной, которая впервые обзавелась отпрыском в том возрасте, когда все поголовно принимают ее за бабушку малыша.

Но речь сейчас пойдет не об этих людях, впрочем, тоже существующих где-то в реальности. Речь пойдет о молодой паре, которая реализовала свои желания, но с заметным опозданием.

Итак, в маленьком домике на опушке леса жила пара счастливых новобрачных. То есть это все вокруг считали, что они счастливы, дескать, потому что недавно поженились. На самом деле все у них было, как у других. В меру любви, в меру себялюбия и выше всякой меры бытовых ссор и взаимных мелких упреков.

Жена всегда находила грязный носок, которым можно было ткнуть мужа. А муж не уставал повторять, что такой скверной стряпухи, наверное, нигде больше на свете не сыщешь. И тем не менее они жили и даже считали, что живут неплохо.

Новобрачными они стали лишь несколько месяцев назад, а вместе с тем прожили бок о бок уже много лет. Поэтому и кризис седьмого года семейной жизни застиг их буквально на пороге медового месяца. О том, что поездка в Египет превратилась в одну сплошную ссору, прерывающуюся лишь на подходы к шведскому столу, говорить даже не стоит. Молодые вернулись из свадебного путешествия со стойким ощущением того, что второго такого путешествия их брак уже точно не переживет.

Повседневные привычные дела и хлопоты помогли несколько приглушить отзвуки грандиозной египетской ссоры. К тому же, согласитесь, глупо разводиться, всего лишь несколько недель назад вступив в брак. Может, у кого-то и встречаются такие казусы, но только не у Ларисы с Богданом. Они были людьми разумными, служили в банке, занимали пусть и небольшие, но все-таки руководящие должности. И поэтому должны были подумать еще и о том, как отреагируют их подчиненные на известие о быстром разводе.

— Прошла бы хоть пара месяцев или лучше лет, — в тот момент откровенно признавался Богдан своим приятелям за кружкой светлого чешского в пятницу вечером и тут же обреченно добавлял: — А так...

— Говорил я тебе, не женись! — горячо заступался Серега — старый приятель Богдана и такой же старый холостяк, как еще совсем недавно Богдан. — Женишься — баба мигом тебе на шею сядет и командовать примется.

Богдан в ответ только вздыхал. Сереге хорошо говорить. Он вольный художник, чем хочет, тем и занимается. Баб у него — длинные шеренги. И все раскованные, все молодые и красивые. Длинноногие и поджарые. Серега меняет подружек одну за другой. Богдан уже со счета сбился, считая официальных любовниц. А уж таких, которые бабочки-однодневки, у Сереги и вовсе не счесть.

Но Богдану такой вариант не годится. Ведь у них в банке все строго: строгий дресс-код и еще более строгий контроль за моральным обликом сотрудников. Они с Ларой и в ЗАГС-то понеслись лишь потому, что Богдану намекнули, что если бы он состоял в законном браке, то освободившееся место руководителя отдела могло бы стать его.

— А теперь не факт, что я заполучу это кресло, — кисло гундосил он. — А с Ларкой в последнее время жить стало решительно невозможно. Она и раньше-то сладкой конфеткой никогда не была, а теперь и вовсе... Превратилась в какую-то мегеру!

— А ты ее приструни! — вступил в разговор третий их приятель — Рудольф, которого все звали просто Рудиком. — Бабу уму-разуму учить надо. Оплеух ей навешай, небось мигом притихнет.

И Рудольф стукнул кружкой по столу, от чего два его приятеля даже подпрыгнули на своих стульях.

— Я со своей только так и разговариваю, — заявил Рудольф. — Зато она у меня слово поперек пикнуть боится. Знает, мое слово в доме — закон!

Богдан с завистью покосился на приятеля и тяжело вздохнул. Нет, методика Рудольфа ему тоже категорически не подходила. Во-первых, бить жену или изменять ей — это было самому Богдану не по нутру. А во-вторых... если Лариса появится на работе с фингалом под глазом, то с мечтой о кресле руководителя отдела можно попрощаться.

Да и, положа руку на сердце, не хотелось колотить жену. К тому же Лариса посещала занятия по самообороне, а Богдан ленился. И в случае схватки еще было неизвестно, кто кому наваляет.

Рудольфу хорошо говорить, у него титул чемпиона по вольным единоборствам. И его тихая Гуля, затюканная еще строгими родителями, никогда не давала волю языку. Откровенно говоря, Богдан вообще от нее больше двух слов за раз не слышал. Обычно это была фраза: «Да, спасибо». Или «Обед на столе». За что можно навешать оплеух такой амебе?

Представив, что живет в доме с женщиной, скользящей вдоль стен бессловесной тенью, Богдан поежился. Нет, не по нему это. Если Рудольфу нравится, что все интересы его Гули сосредоточены вокруг детей и хозяйства, его воля. Но Богдану с такой женщиной было бы идти по жизни просто скучно.

— Нет, Ларка, она ничего... бывает даже ласковая. И я сам — тоже не подарок, если честно.

Друзья немедленно кинулись переубеждать Богдана. И еще полчаса он отнекивался, красный и счастливый от того, что есть на свете всетаки люди, которые ценят и любят его просто так, независимо ни от чего. Последний тост был выпит за дружбу. И Богдан не вполне уверенно, но все же двинулся к выходу из бара.

Усевшись в такси, он взглянул на часы. Тяжкий вздох вырвался из его груди. Время в теплой дружеской обстановке пронеслось незаметно. Между тем было уже начало двенадцатого, пока он доберется до дома, начнется новый день... А Лариса очень неприязненно относилась к таким вот задержкам супруга. Представив, что ждет его дома, Богдан поежился.

Но он знал, как действовать. И чтобы дать Ларисе возможность немного выпустить пар до его прибытия, заранее набрал ее номер. Богдан ожидал, что жена немедленно схватит трубку, чтобы услышать его оправдания, но до его слуха донеслись лишь короткие гудки.

— Занято. Странно.

Богдан перезванивал жене всю дорогу, но Лариса по-прежнему была занята разговором с кем-то другим. Неприятное чувство царапнуло Богданову душу. Он вспомнил, что за весь вечер Лариса ни разу не позвонила ему, хотя обычно она звонила ему почти каждый час, проверяя кондицию муженька. И когда считала, что Богдан уже дошел до подходящей к каким-то ее собственным эталонам кондиции, командовала:

— Милый, возвращайся! Я тебя жду.

Но сегодня она словно бы забыла про мужа! Тревога и страх заползли в душу загулявшего супруга.

— С кем же она треплется?

Со своими подругами Лариса никогда так долго не беседовала. С мамой тоже. Служебные проблемы предпочитала решать на службе. Лариса вообще была человеком рачительным. Стоимость сгорающих при разговоре по мобильному минут не позволяла ей расслабиться ни на мгновение.

Так с кем же Лариса беседовала вот уже почти час? И пока Богдан добирался на такси до своего дома, у него было достаточно времени, чтобы осмыслить все возможности. А если у его Ларисы кто-то появился? Любовник? Да нет, Лариса не из таких! Она не станет изменять мужу.

Богдан примерно представлял, как поступила бы жена в случае чего. Сначала она тактично предупредит его, что их браку пришел окончательный... Ну, понятно кто. И еще она сказала бы, что уходит к другому мужчине, а Богдан может считать себя свободным. И уж потом только, завершив один роман, отдалась бы страсти с другим мужчиной.

Но когда Лариса открыла ему дверь, Богдан облегченно вздохнул. Жена держала в руках телефонную трубку, ему она лишь рассеянно кивнула и еще более рассеянно чмокнула в щеку. Она даже не принюхалась к запаху алкоголя, который явственно исходил от мужа. И не прервала телефонного разговора, который оказался далеко не любовным:

— А еще они мне сказали, что наш дом подлежит сносу! Что все бумаги уже согласованы! Земля перешла во владение нового хозяина. И предложенная нам компенсация — это чистая любезность от застройщика. Как ты думаешь, это законно?

В последней фразе жены слышалось такое неприкрытое волнение, что Богдан невольно насторожился. Да и произнесенные ею слова заставили его вздрогнуть.

— Нас все-таки сносят?

Лариса в ответ махнула рукой, показывая, что ей сейчас решительно не до Богдана. Телефонный разговор с юристом слишком важен, чтобы отвлекаться на мелочи. Богдан все понял и смирился. Когда Лариса занималась каким-то делом, ни о чем другом она и думать не могла. Поэтому Богдан разулся, аккуратно повесил вещи в шкаф и потопал в ванную.

Когда он вышел оттуда с почищенными зубами, умытый и посвежевший, Лариса тоже была уже готова к общению.

— Ты понял, что случилось? — тревожно спросила она у мужа. — Эти гады все-таки выполнили задуманное!

И Лариса метнула в сторону окна взгляд, полный ненависти и неприкрытой злобы. Богдан знал, о чем говорит жена. Вот уже который месяц за лесом, на опушке которого они выстроили свой домик, велось активное строительство. Гремели удары молота о землю, грохотали грузовики, ревели электроинструменты. Результатом этого строительства должен был стать новый поселок, состоящий из десятка высоток и полутора сотен таунхаусов. Безусловно, проект был нужным и перспективным делом для всего региона.

— Но как же быть нам?

Этот вопрос супруги задали в администрации района после того, как в лесу, отделяющем их дом от ведущегося строительства будущего поселка, упали первые срубленные деревья. В администрации района, где они приобрели участок земли для индивидуального жилищного строительства и на котором выстроили свой прелестный домик, были уже в курсе проблемы.

Богдан, не дожидаясь ответа администрации, пошел в атаку первым.

— Дом у нас совсем новый, и расставаться с ним было бы невероятно жаль.

— У нас все документы в полном порядке, — добавила к его эмоциям сухого конструктивизма Лариса. — Земля приватизирована, все строения оформлены в собственность. Налоги мы исправно платим без пени и задержек. Какие могут быть проблемы?

Казалось бы, что никаких. Но у нас в стране проблемы растут куда охотнее, чем грибы. В иной год и пары подосиновиков не соберешь, зато проблем огребешь целую кучу!

Все тот же глава администрации, лучезарно улыбаясь супругам, объяснил им, что волноваться совершенно не стоит. Но с каждым днем полоса леса, отделяющая домик супругов от нового поселка, становилась все уже. И в конце концов Лариса с Богданом не выдержали и вновь обратились в администрацию.

— Мы покупали землю в уединенном месте, возле леса! Мы совсем не ожидали, что вместо леса рядом с нами возникнет крупный поселок!

— Ну, что вы так волнуетесь? Соседи — это же хорошо. Люди испокон века тянулись друг к другу. И потом, вам ведь вернут деньги за землю и дом.

— Как?! — задохнулись супруги. — Как «вернут»? Мы не собираемся никуда переезжать! Только обжились, корни пустили — и уезжать?

— Так вам и не придется! — засуетился глава администрации — толстый дядька, один взгляд на которого убеждал в том, что он еще тот жучара. — Это я в самом крайнем случае предложил, если вы сами захотите переехать! Подальше, в тихое уединенное местечко. Вот у меня и участочек есть на продажу. Там, правда, свалка неподалеку. Но в следующем году ее планируют снести.

Но на это супруги не повелись. Знают они, как у нас осуществляются планы! Если что-то хорошее запланировано, то ждать нужно годами. Новую станцию метро, например, можно и десятки лет прождать. Или уничтожение свалки. Но вот если новый жилой коттедж снести — это можно уже завтра!

Супруги вернулись к себе, попытались смириться с мыслью, что вместо леса у них теперь будут несколько деревьев, которые еще сохранились на их участке, и что вокруг них возникнут бетонные новостройки.

— Черт, как плохо! Не собирать мне грибов, как я мечтал.

— В конце концов, мы знали, на что идем, — вздохнула Лариса. — Если хотели тишины и уединения, надо было покупать землю километров за пятьдесят от города.

— А лучше за сто.

Но так далеко супруги не могли уезжать из Питера. Они оба были привязаны к работе, к своему банку, где должны были появляться ежедневно с понедельника по пятницу с девяти до шести часов вечера. При таком графике нечего было и думать о том, чтобы приобрести жилье в отдалении от города. Двадцать километров — это был тот максимум, который обозначили себе супруги. И им казалось, что они нашли идеальное решение вопроса.

— Лес, речка, чуть дальше озеро!

— Карьер.

— Карьер — все равно что озеро. Рыба в нем уже водится. И берега давно ивами поросли. Самое настоящее озеро! Прекрасное место, покупаем!

И вот теперь выяснилось, что не они одни прельстились этим местечком. Нашлись люди и пошустрее, и побогаче, и с крепкой деловой хваткой. Они начали строительство крупного поселка. И конечно, Лариса с Богданом не могли им противопоставить ровным счетом ничего. Им оставалось надеяться на лучшее, что они и делали.

Но сегодня вечером ситуация изменилась. Вернувшись домой, Лариса обнаружила у них на пороге дома письмо. Оно было снабжено печатью строительной компании «Эрнст» и таким количеством марок и штемпелей, что сердце у

Ларисы екнуло в предчувствии беды. Она поспешно вскрыла конверт и ознакомилась с содержанием письма. А закончив читать, Лариса кинулась звонить всем своим знакомым юристам, чтобы понять, правомочны ли действия застройщика или же есть шанс побороться за свой дом.

— Они пишут, что в результате приватизации земельного участка, на котором стоит наш дом, вкралась досадная ошибка. Она была решена с учетом наших интересов. И теперь участок и дом будут выкуплены у нас строительной компанией за сумму... Нет, я не могу этого озвучить, взгляни сам!

И Лариса сунула мужу письмо.

— Это же меньше половины того, что мы заплатили! — едва глянув на сумму, немедленно возмутился Богдан.

— Но они утверждают, что оценочная стоимость нашего дома и земли именно такова! У них и документы есть. Вот взгляни, они прислали ксерокопию.

— Где они делали оценку? Небось у таких же жуликов, как они сами!

— Название оценочной компании на печати размыто. Не могу разобрать ни буквы.

— Завтра первым делом едем к этим строителям! Я их там всех порву!

Обычно Лариса осуждала порывы супруга, но сейчас и она согласилась:

— Вот-вот! Я как раз сделала несколько звонков, чтобы узнать, что это за компания такая и откуда она взялась на нашу голову.

Споры и пересуды о будущей судьбе домика на опушке леса длились еще несколько часов. Телефон у Ларисы буквально раскалился. Однако ничего так и не было решено. Все знакомые Ларисы сходились на мнении, что морально действия строительной компании «Эрнст» неправомочны. Но если взглянуть на бумаги, то все чисто. Компания в своем праве.

Но уже отправляясь на боковую, Богдан подумал об еще одной вещи. Почему Лариса не позвонила ему первому? Ведь вопрос был крайне важен и касался их обоих. Так почему она предпочла звонить своим знакомым, в том числе и очень дальним, но не своему родному мужу? И почему-то именно этот вопрос казался сейчас Богдану наиболее весомым. Куда весомей, чем потеря крыши над головой.

Рано утром, так толком и не выспавшись, супруги двинулись на разборки. К жуликоватому главе администрации они даже не стали соваться.

— И так ясно, что без его участия ничего бы и не произошло. Он самый главный аферист и мошенник!

— Не скажи, эти из «Эрнста» тоже хороши.

Но Богдан держался того мнения, что Родион Сергеевич полная скотина, жулик и гад!

— Он дал нам гарантии, в глаза нам с тобой смотрел, улыбался, руки жал! И что в результате? Как только появился более выгодный покупатель, он мигом забыл о нашей с ним договоренности и продал нашу землю по второму разу!

Из вчерашних телефонных разговоров супруги Лисицыны — Богдан и Лариса — знали, что компания, с которой им предстоит схватка за их землю, как говорится, из молодых, да ранних.

— На рынке они всего три года. Но уже судебных исков против них возбуждено не меньше трех десятков.

— Вот и нам с тобой предстоит пополнить список. А потом они закроют одну фирму, создадут новое юридическое лицо, и все! Концов больше не найдешь! Небось генеральным там числится какой-нибудь зиц-председатель, без собственности или вообще без штанов!

Впрочем, штаны на генеральном директоре все же имелись, и весьма неплохие. Лариса наметанным взглядом ощупала его невзрачную фигурку и поняла, что дела их плохи. На потасканном тельце с личиком заядлого выпивохи сидел костюмчик от Армани с галстуком и рубашкой той же фирмы.

Звали его Эрнст Антонович. И имея внешность и ужимки круглого дурака, он вполне успешно использовал этот имидж в разговоре с трудными посетителями.

— Не понимаю, почему вы недовольны? — разводил он руками. — Ваша сделка с приватизацией земли признана незаконной. В ходе ее оформления был совершен ряд нарушений. Земли у вас нет, строения возведены незаконно. Мы предлагаем вам прекрасную сумму, чтобы начать с чистого листа на другом месте.

— А мы не хотим на другом! Мы хотим на этом!

— Не понимаю! — пожал плечиками глава компании. — Эта земля принадлежит нашей компании.

— Мы пойдем в суд!

— Зачем же в суд? — сделал вид, что испугался, Эрнст. — Только не в суд! Я не хочу обратно в тюрьму!

И пока ошеломленные супруги пытались перевести дыхание, Эрнст громко расхохотался над собственной шуткой.

— Принеси-ка нам коньячку! — велел он заглянувшей на шум секретарше. — И ликера для дамы.

Нет, несмотря на свою показушную шутейность, Эрнст был далеко не дурак. В наблюдательности ему было нельзя отказать. Вот и тут он мигом просек, что главную роль в паре играет Лариса. К ней он и пытался подмазаться. И коробку шоколадных конфет велел притащить, когда Лариса от ликера отказалась, и фрукты, и вообще все, что пожелает прекрасная визитерша.

— А мы не могли с вами где-нибудь встречаться? — сладко пел он ей в ухо. — На юбилее «Газпрома»? Или у нашего губернатора на междусобойчике по случаю его вступления в должность? Нет? Странно, странно. У вас такая запоминающаяся яркая внешность. Такая роскошная женщина просто не должна хоронить себя в каком-то захолустье. Что скажете, если я приглашу вас с мужем к себе в загородный коттедж на эти выходные?

— К вам?

— О, уверяю вас, никаких первых лиц государства! — закатил глаза Эрнст. — От этих зануд и их министров меня уже самого тошнит! Только пара актеров, несколько спортсменов. Киркорова позовем, пусть отчебучит чего-нибудь этакое! Или вы предпочитаете Баскова? Все, я решил! Зову обоих! Пусть споют, а при удаче еще и подерутся между собой! Вот будет потеха, вам понравится.

И он погладил Ларису по руке. При виде этого Богдану стало совсем нехорошо. Что это хмырь себе позволяет? Да он его сейчас размажет по стенке!

Богдан вскочил на ноги.

— Знаете... вы... вы!..

Слов у него решительно не хватало. И уж совсем он онемел, когда услышал тихий и рассудительный голос своей Ларисы.

— Отчего бы и не принять ваше приглашение? — произнесла жена, не обращая внимания на мужа. — Конечно, мы приедем. К какому часу? Диктуйте адрес!

Эрнст явно не ожидал, что его предложение будет принято. Он что-то промычал, но отступать было некуда. Лариса буравила его взглядом, который был хорошо знаком Богдану. И он знал, что теперь жена с живого собеседника не слезет.

— Нет, никаких дополнительных созвонов не понадобится, — заявила она в ответ на неуверенное предложение Эрнста еще созвониться ближе к выходным. — Сегодня уже четверг. Мы с вами деловые люди, так что выходные у нас начинаются в пятницу. Так куда подъехать?

Я что-то не расслышала адреса. И время. Думаю, что часикам к семи будет удобно и нам, и вам.

— Минуточку, — пробормотал вконец смущенный Эрнст. — Одну минуточку... мне нужно...

И с этими словами он выскочил из кабинета.

— Советоваться с хозяевами побежал, — убежденно и с ноткой торжества в голосе произнесла Лариса. — Уверена, они прикажут ему соглашаться. Худой мир лучше доброй ссоры. Нынче не девяностые, криминал никому не нужен.

— Думаешь, они могут пойти на криминал? — ужаснулся Богдан.

— Шутишь? Из-за денег? Конечно, могут!

Эрнст появился спустя всего пару минут. Выглядел он куда более уверенно. Как и предсказывала Лариса, он повторил свое приглашение и назвал адрес, по которому надлежало завтра прибыть Лисицыным.

— Часикам к семи подъезжайте.

— Только не забудьте, вы мне обещали драку между Басковым и Киркоровым, — тоном законченной стервы произнесла напоследок Лариса.

Казалось, она считала дело решенным. Но когда супруги вышли из здания гостиничного комплекса, где компания арендовала целый этаж под свои офисы, Богдан набросился на жену с упреками:

— Зачем ты приняла приглашение этого прохвоста?

— Ты разве не понял? Оказавшись у него дома, мы получим отличную возможность разнюхать все про этого проходимца. Честно говоря, я не ожидала такой удачи.

— Но он хочет, чтобы мы прямо там же подписали ему документы!

— А вот никаких документов мы с тобой подписывать не станем.

— Неудобно получится.

— Неудобно на потолке... сам знаешь, что делать.

— Ты не думаешь, что нас могут элементарно не отпустить, пока мы не подпишем нужных им бумаг?

— Соврем что-нибудь. Сам в банке работаешь, знаешь, с бумагами вечно какие-то накладки случаются.

И взяв Богдана под руку, Лариса успокаивающе произнесла:

— Вот увидишь, все пройдет отлично. В крайнем случае соврем, что забыли паспорта дома.

— Ага, так они нам и поверят.

— Да нам-то что за дело, поверят или нет? Нам надо проникнуть на вражескую территорию!

И строго взглянув на мужа, она спросила:

— Говори, ты со мной или нет? Согласен на мой план или нет?

Конечно, Богдан выразил свое полное и безоговорочное согласие. А что еще ему оставалось? И так вчера вечером жена начала звонить с проблемой не ему, а своим знакомым. Если он и в этот раз ее подведет, над узами их супружества запросто может нависнуть очередной дамоклов меч.

ГЛАВА 2

В пятницу, в начале восьмого вечера, Лисицыны, принарядившиеся в свои лучшие и самые дорогие выходные наряды, стояли у ворот огромного коттеджа. О размерах скрытого на территории строения говорил сам забор. Он тянулся в обе стороны чуть ли не на сотню метров. Дома, находившиеся по соседству, были ему под стать. Во всяком случае, те верхние этажи и мансарды, которые удавалось разглядеть через забор супругам, откровенно впечатлили их.

— А поселок-то в природоохранной зоне выстроен, — ревниво заметил Богдан. — Нева в двух шагах. Небось весь берег перегородили своим забором. Как думаешь, может, жалобу на них накатать?

— Зачем?

— В суд на них подадим. Так сказать, в порядке обороны.

— Вечно тебе в голову всякие дурацкие проекты лезут, — поморщилась Лариса. — Пока наша жалоба до судьи дойдет, мы с тобой уже десять раз на улице окажемся. Ты лучше скажи мне, все запомнил, о чем мы с тобой договаривались?

— Все.

— Таблетки не забыл?

— Надежно спрятаны, они только и ждут своего часа.

— Ну, тогда у нас все получится. Вместе мы выстоим.

— Лариса...

Богдан хотел сказать жене, что ни за что не оставит ее в беде. Что она может рассчитывать на него целиком и полностью. И что она самая умная, нежная и любимая. Но в этот момент замок щелкнул и калитка открылась. Лисицыны зашли внутрь с неприятным чувством, что все это время их пристально изучали в глазок видеокамеры скрытые от них люди.

Но от дверей дома, оказавшегося и впрямь огромным, к ним уже торопился Эрнст. Он шагал, раскрыв гостям свои объятия. На его лице сияла радостная улыбка. Но у супругов мороз пробежал по коже. Операция из фазы подготовки вошла в решающую стадию.

— А вы без машины? Моя охрана даже не хотела вас впускать!

— Мы приехали в гости, зачем нам машина?

Супруги действительно прибыли без машины. Верней, оставили ее вне пределов видимости, отъехав от основной трассы в сторону местечка для пикников. Если им придется уносить ноги, совсем некстати оставлять машину врагу.

За эту меру безопасности особенно ратовал Богдан.

— Дом и землю, считай, они у нас уже украли. Не собираюсь оставлять этому жулью еще и машину! Продадут на запчасти и глазом не моргнут.

Таким образом, к дому супруги приковыляли на своих двоих. И если Богдану в пусть и изящных, но все же ботинках было лишь слегка некомфортно, то Лариса на шпильках чувствовала себя хуже некуда. Справедливости ради надо сказать, что ругала она в первую очередь саму себя.

Что за непредусмотрительность! Надо было взять с собой спортивные туфли, в них пройти основной путь от оставленной машины до дома Эрнста, а там уж переобуться. Куда потом, переобувшись, девать туфли? Действительно, не класть же грязную обувку в свою стильную сумочку! Тем более что там все равно места нету.

— Ну, да обувь можно было взять старую и оставить мешок прямо в придорожной растительности. Украли, так и не жалко.

Ноги у Ларисы немилосердно ныли. К тому же она замерзла в своем вечернем платье. И от ее боевого настроя осталось не так уж много. Оказавшись на территории врага, Лариса и вовсе растерялась. Она быстро подсчитала примерную стоимость дома, земли, всех строений. Учла ухоженный распланированный сад. Даже не сад, а настоящий парк, который к тому же тянулся вдоль реки, на которую открывался прекрасный, пусть и огороженный с двух сторон забором, вид.

И в душу женщины заполз страх. Смогут ли они вдвоем с мужем противостоять этим деньгам и этой мощи, которая сосредоточена в руках хозяина этого дома? Ведь ясно, что заработавшие такие огромные деньги люди будут для них с Богданом очень сильными противниками. На что она надеялась, являясь к ним всего лишь в компании Богдана — ненадежного легкомысленного человека, к тому же недотепы?

Ведь Лариса уже давно не полагалась на своего мужа ни в чем. А если хорошенько припомнить, то и никогда не полагалась. Всегда и все вопросы решала сама. Пара ее попыток привлечь Богдана к решению проблем, касающихся устройства их быта, привела к полному краху и ссоре. Оказалось, что у Богдана есть свое собственное мнение по каждому вопросу, да еще к тому же не совпадающее с мнением самой Ларисы. Сделав это неприятное открытие, во избежание ссор, Лариса постаралась отстранить мужа от управления делами. Это далось ей тем легче, что и сам Богдан к управлению совсем не рвался.

Но сейчас Ларисе был позарез нужен помощник — мужчина. И она очень надеялась, что Богдан не станет придумывать всякой отсебятины к ее собственному чудесному, тщательно продуманному и стройному плану. Впрочем, муж пару раз пытался встрять со своими нелепыми замечаниями, но Лариса быстро его заткнула.

А сейчас пора было приступать к осуществлению плана.

— И где же обещанные мне певцы и музыканты? — капризным, показавшимся противным даже ей самой голосом произнесла Лариса. — Что-то я никаких трелей не слышу!

— Будут! Обязательно будут! Все гости еще не собрались. Вы — первые!

Супруги переглянулись несколько растерянно. Они-то полагали, что все будут уже в сборе к их приходу. А если повезет, то еще и изрядно налижутся. Легче обвести вокруг пальца подвыпившего человека.

— Ну... Покажите нам тогда дом.

— Дом? — почему-то скуксился Эрнст. — Может быть, пройдем лучше в сад? Там есть что посмотреть, я вас уверяю. И погода чудесная.

— Нет, в дом, — упрямо возразила Лариса. — Я хочу в дом!

Желание женщины — закон для мужчины. И Эрнст прекрасно это знал. Не очень охотно, но он все же повел своих гостей в дом.

— Вот тут гостиная. Вот тут кальянная комната. Картинная галерея, малая гостиная, парадный зал для больших приемов. Столовая, туалетная комната, бильярдная.

Дом впечатлял не только своими размерами, но и обстановкой. Он был буквально забит ценной резной мебелью, возможно, что и антикварной. Если это было так хотя бы наполовину, то дом никак не мог принадлежать Эрнсту — владельцу строительной компании, к тому же очень и очень средней. Дом больше был похож на жилище какого-то чиновника или политика из высших эшелонов власти. А еще больше на собственность какого-то известного мафиози.

— А чей это дом?

— Мой, чей же еще! — рассмеялся Эрнст.

Но его смех показался Ларисе несколько натянутым. И чтобы окончательно проверить свою догадку, она протянула руку в сторону монументального, хотя и чуточку мрачноватого, полотна, украшающего целую стену дома.

— Это ведь Врубель? Отличная копия.

— В доме нету никаких копий! Только подлинники!

— В таком случае у вас могут быть проблемы. Подлинник этого произведения должен находиться в Русском музее.

— Это авторская копия, — принялся изворачиваться Эрнст. — Художник сделал два полотна примерно одного содержания. Обе работы равноценны по стоимости и исполнению.

Может, оно и так. Только Лариса была твердо уверена, к картине «Демон летящий» кисти Врубеля это не имеет никакого отношения.

— А это полотно чьей кисти? — спросила она, указывая на висящий в библиотеке с виду ничем не примечательный скромный пейзажик.

— Шишкин!

— Но тут другая подпись... Суриков.

— Может, и Суриков, — нервно отозвался Эрнст, которого заметно раздражал интерес гостьи к полотнам. — Разве всех упомнишь!

— Однако этому полотну цены нету.

— Цена есть всем вещам!

— Вы очень богатый человек, Эрнст, — покачала головой Лариса. — Судя по тому, что вы не помните, как платили за полотно Сурикова, вы настоящий миллиардер. Скажите честно, зачем вам понадобился наш крохотный домишко и участочек?

— Интересы моей компании...

— Бросьте, при чем тут ваша компания? Вы вполне могли устроить свою стройку таким образом, чтобы обогнуть наш дом. Что вам там понадобилось? Никакого клада на нашем участке нету. Могу вам в этом поклясться с полным основанием. Серега — приятель моего мужа — недавно купил металлоискатель. Мы тогда только начинали строиться, всюду была земля, никакого газона. Серега воспользовался моментом и буквально прочесал весь наш участок вдоль и поперек. Если золото там и было, то Серега давно его нашел и прикарманил.

Эрнст сдавленно хихикнул:

— Ну и шуточки у вас. Клад какой-то. Нет, мне просто нужна ваша земля. Существует план будущего поселка. И согласно этому плану на месте вашего дома будет расположен торговый комплекс.

— Так постройте свой комплекс в другом месте.

— Это не так просто.

— Конечно, согнать людей мошенническим способом с насиженного места куда как проще!

Лариса сознательно подогревала страсти. Ей было нужно, чтобы Эрнст сделал одну вещь. И он ее сделал.

— А не выпить ли нам по бокальчику чего-нибудь освежающего? — предложил он. — За бокалом будет легче обсудить наши с вами разногласия.

Лариса выбрала коньяк, Богдан — красное вино, к которому едва прикоснулся, а Эрнст, как не без злорадства убедилась Лариса, плеснул себе на три пальца чистого виски. Когда все выпили, Лариса неожиданно сменила тему, скомандовав:

— Внизу мы уже все видели. Показывайте теперь второй этаж!

Эрнст вздрогнул и в смятении уставился на нее.

— А туда нельзя.

— Но я хочу!

— Там жилые помещения и...

— Я хочу посмотреть! Пойдемте.

И Лариса устремилась к ведущей на второй этаж лестнице. Эрнст кинулся за ней:

— Нельзя. Там...

Он не договорил, оттащив Ларису обратно и снова потянувшись к стакану с виски. Выпив, он пояснил, что ужин планируется в саду. Наверх ходить совершенно не для чего. В ответ Лариса сказала, что уже и сама поняла, что ни на кухне, ни вообще где-либо в доме никаких приготовлений к будущему приему гостей не ведется.

— Тогда пойдемте в сад.

— Правильно! — оживился и моментально расслабился Эрнст. — Я вам сразу предлагал туда пройти.

Коньяк и виски, как не без злорадства заметила Лариса, он прихватил с собой. Что же, первая часть была выполнена блестяще. Нервное напряжение Эрнст заполировал спиртным.

План Ларисы заключался в следующем. Им с Богданом надо было раздобыть какой угодно компромат на Эрнста или его компанию. Обыскивать сам офис компании на предмет хранящихся там документов им, дилетантам, было бы рискованно. А вот в частном загородном доме можно было попробовать воплотить эту идею в жизнь.

Но для того чтобы обыск прошел более или менее гладко, надо было временно нейтрализовать Эрнста. Лариса считала, что для этого достаточно будет подкинуть ему сильнодействующее слабительное, которым они запаслись заранее. Пусть, сидя на горшке, попытается уследить, чем занимаются его гости!

И пока Лариса третировала Эрнста своими капризами, Богдан быстро подкинул заранее растолченную и разведенную в воде смесь в бутылку с виски. А Эрнст, замороченный Ларисой, ничего не заметил и выпил лекарство вместе со спиртным.

Лариса торжествовала. Правда, в доме было полно охраны. Но и для них у шустрой дамочки имелся сюрприз. Уже не слабительное, а кое-что покруче.

Обогнув дом, все трое очутились возле полянки для барбекю. Тут возле мяса уже суетились двое мужчин, а еще несколько человек расположились под тентом. Никаких обещанных им медийных лиц Лисицыны не заметили.

— И кто же тут будет Басковым? — ехидно осведомилась Лариса у Эрнста. — А Киркоров — это, наверное, вон тот крепыш?

И продолжая издеваться, она ткнула пальцем в пузатенького армянина, хлопотавшего у мяса.

— Надо же, в жизни он даже ниже меня ростом, а на сцене настоящий гигант!

Эрнст покраснел и снова сделал большой глоток, как с радостью заметила Лариса, все из той же бутылки.

— С артистами вышла заминка. Они оба оказались на гастролях.

— Ну... Это несерьезно. Деловой человек всегда выполняет свои обещания. Хочу Баскова! Хочу Киркорова!

Лариса выделывалась изо всех сил, искренне надеясь, что скандал не входил в планы Эрнста и что тот постарается сгладить ситуацию.

— Если будет Басков, подпишу ваши бумаги! — кривлялась Лариса, изображая из себя опьяневшую мамзель. — Передам вам и дом, и землю в полную собственность.

Эрнст повеселел.

— Тогда одну минуточку. Вы тут осмотритесь, а я пока сбегаю... может быть, мне удастся договориться. Подождите.

И он поспешил назад к дому. Интересно, с кем он собирался там договариваться? Лариса видела, что на всем втором этаже свет горит лишь в трех окнах. И пихнув мужа в бок, взглядом указала на них.

— Видишь?

— В окнах горит свет.

— Уверена, там и засел хозяин этого застолья.

— Но Эрнст...

— Эрнст всего лишь марионетка. А настоящий хозяин — он там.

— Хозяин дома?

— Сомневаюсь, что Эрнсту по карману такая усадьба. Эрнст подставная фигура. И все остальные собравшиеся ему под стать.

Лариса уже успела оглядеться по сторонам. За это время к гостям добавились еще две супружеские пары. И Лариса готова была поклясться, что ни один из мужчин не принадлежит к сливкам общества. А их дамочки и вовсе сильно напоминали ночных бабочек. Девушки с явным восхищением глазели по сторонам. Да и их спутники то и дело кидали заинтересованные взгляды в сторону дома. Все держались несколько скованно, словно понимая, что они тут чужие.

Скованность исчезла под действием выпитого спиртного, которого было много, но которое опять же не дотягивало до уровня экстра-класса. Но гости пили и казались довольными. Нет, такой богатый дом и обстановка — это явно был не их уровень.

— Готова поклясться, что дом они сняли или каким-то образом заполучили на один вечер. Специально для того, чтобы пустить нам пыль в глаза. Подавить своим величием.

— И им это почти удалось. Когда ты заговорила о подлиннике Врубеля, я прямо похолодел. Сколько же он должен стоить?

— Не о том думаешь, — с досадой отозвалась Лариса. — Нам надо проникнуть обратно в дом и подняться на второй этаж. Если где и есть улики против Эрнста, то только там.

— Мы же были в доме. Ты слышала, второй этаж закрыт для посетителей.

— Уверена, Эрнст пошел именно туда.

— В доме полно охраны. И еще скрытые камеры.

— Значит, пришла пора пустить в ход план «Б».

У Ларисы было разработано несколько планов на разные случаи жизни. Нельзя же было заранее предугадать, какова будет диспозиция сил противника.

— Сейчас кидаем тут шумелки, а в дом подкинешь вонючки. Эрнст до сих пор не вышел, значит, есть надежда, что мне удастся застать его наедине с хозяином. Смогу подслушать их разговор. А если уж совсем повезет, то подсмотрю, где они хранят бумаги.

— Я тебя одну не пущу!

— Если мы исчезнем вдвоем, это будет выглядеть слишком подозрительно. Не бойся, со мной все будет в порядке. Или ты хочешь, чтобы у нас отняли наш дом?

Этого Богдан не хотел. И кроме того, он не хотел, чтобы Лариса сердилась.

— Сделаем, как задумали. Но если ты не появишься назад в течение получаса, я... я иду на штурм второго этажа!

Лисицыны разошлись в разные стороны. В сумочке у Ларисы не нашлось места для сменной обуви, но зато нашлось место для множества невзрачных картонных цилиндров. Большая часть из них предназначалась для Богдана и была шумового действия, то есть при активизации громко трещала, хлопала, дымила и вообще вызывала у людей панику. Но это были простенькие петарды, которые можно было купить в магазинах, торгующих новогодними фейерверками, салютами и тому подобными вещами.

А вот две пластиковые кругленькие штучки, совершенно невинные на первый взгляд, Лариса раздобыла через третьи руки. И именно на них молодая женщина возлагала наибольшие надежды. Крошек-вонючек у нее было всего две штуки. Но подруга, которая их ей дала, клялась, что больше и не потребуется.

— Не смотри на их размер. Эти малютки способны вызвать химический ожог роговицы глаза.

— Это же очень опасно.

— Конечно, такое произойдет, если постоять в эпицентре их действия этак с полчасика. Но подобные бомбочки со смесью слезоточивого газа и дымовой завесы очень хороши, если тебе надо откуда-то срочно унести ноги. Аналогичные смеси применяются для разгона демонстрантов. Но именно эти вонючки есть лишь у спецагентов.

— А у тебя они откуда? — поинтересовалась Лариса.

Но ответа не получила. Подруга лишь загадочно улыбнулась и пообещала, что завтра позвонит, чтобы лично убедиться в том, что вонючки сработали как надо. Каждая из вонючек была размером не больше куриного яйца. Их даже можно было спутать с яйцами. Это было сделано специально для максимальной маскировки.

— Пользоваться ими легко до смешного. Оболочка тонкая, надо взяться левой рукой за верхнюю часть, правой — за нижнюю, ну, или наоборот. А потом резко повернуть половинки в разные стороны. Ну, наподобие того, как ты открываешь крышку на банке с консервированными огурчиками. Поняла? Сейчас практиковаться не будем, у тебя все получится и так. Только береги глаза и дыхательные пути. Лучше сразу же вооружиться противогазом. Но если противогаза у тебя нету, можно использовать влажный платок, закрыть глаза и задержать дыхание.

Получив столь исчерпывающие рекомендации от подруги, Лариса не сомневалась в успехе своего предприятия. Забраться в дом, проникнуть в личные помещения его хозяина. Лариса была уверена: Эрнст лишь пешка. А у человека, которому реально принадлежит строительная компания, должно быть таких компаний еще несколько штук. Но дела он ведет нечистоплотно, иначе бы не разменивался на такие глупости, а работал бы с крупными строительными корпорациями наравне.

— Раз он мухлюет, значит, должны остаться следы. Может быть, даже в этом доме. Если я раздобуду бумаги, пусть даже к нам с Богдашей отношения не имеющие, я могу продиктовать этому гнусному типу свои условия. Посмотрю я на него, когда он поймет, что у меня в руках есть компромат на него! Небось живо велит Эрнсту пересмотреть план застройки. А нам с Богданом еще и денег отсыплет в качестве компенсации за моральный ущерб и потерю леса!

Так рассуждала Лариса, даже сама не подозревая, насколько опасными выглядят ее рассуждения. А что, если этот человек не захочет платить? Что, если он предпочтет решить проблему более кардинальным и простым способом? Устранит не только мешающий ему дом, но и его владельцев?

Но Ларисе не хотелось думать о плохом. Она понимала, в предстоящей борьбе годятся любые средства. И услышав, как во дворе захлопали хлопушки, щедро рассыпаемые там Богданом, женщина притаилась за дверями дома. Ее расчет оказался верен. Не прошло и минуты, как из дома высыпался чуть ли не полк охраны — разобраться, что происходит на полянке для барбекю. Еще один отряд охраны мчался от невзрачного домика, замаскированного в глубине сада.

— Пора!

Лариса понимала, не вся охрана устремилась к месту взрывов. Хорошо обученные сотрудники должны были остаться и в доме. Но Лариса не зря напросилась на экскурсию по дому. Она знала, где находится ведущая на второй этаж лестница. Ей лишь надо было прошмыгнуть незамеченной до нее. И воспользовавшись тем, что дверь в дом осталась открытой, Лариса начала действовать.

Задержав дыхание, как учила ее подруга, она сломала одну из вонючек. Изнутри немедленно повалил густой и вонючий дым, от чего у Ларисы зачесалось в носу и заслезились глаза. Кинув вонючку в дом, она закрыла глаза, зажала нос и кинулась вперед через густые клубы дыма. Тут она бросила вторую вонючку и смело направилась туда, где находилась лестница.

Уже через какое-то мгновение Ларисе показалось, что она заблудилась в густом вонючем дыму. Нисколько не утешал ее кашель и стоны, которые раздавались из дальних помещений. Дым быстро распространился по всему первому этажу. И теперь оставшаяся в доме охрана была совершенно дезориентирована.

Но и Лариса, вызвавшая среди охраны этот переполох, своей цели не достигла. Она тоже заблудилась.

— Да где же эта проклятая лестница?

Неожиданно Лариса увидела ступеньки. Правда, вели они не наверх, а вниз, но легкие Ларисы уже разрывались от надрывного кашля. Несмотря на намоченный платок, через который она дышала, ядовитый дым проник в ее организм. Медлить было нельзя. Лариса шмыгнула вниз по лестнице, наткнулась на тяжелую дверь, толкнула ее и — о радость! Она оказалась в чистеньком и совершенно не задымленном подвале!

Видимо, изоляция в доме была сделана на высшем уровне, и дверь предохранила это помещение от проникновения сюда дыма.

— Очень хорошо, просто замечательно!

И Лариса не кривила душой. Сейчас ее радовало уже то, что она оказалась в чистом помещении. Не важно, что от второго этажа ее теперь отделяло еще большее пространство. Зато она вновь могла нормально дышать. И какое это оказалось счастье! Отдышавшись и откашлявшись всласть, Лариса наконец смогла оглядеться по сторонам.

Она оказалась в цокольном этаже здания. Назвать его подвалом — значило обидеть. На подвал эти помещения были похожи так же мало, как дворец арабского шейха на квартиру где-нибудь в Веселом поселке. Полы тут были выложены мрамором и почти всюду застелены коврами. На стенах висели картины, не такие дорогие, как наверху в парадных помещениях, но тоже весьма достойные работы явно талантливых художников.

В цокольном этаже располагалась еще одна курительная, бильярдная, зимний сад и сауна с маленьким бассейном. Впрочем, маленьким его можно было назвать лишь по сравнению с тем здоровенным озером, которое было вырыто во дворе и по явному недоразумению называлось просто бассейном.

Но и тут бассейн был метров пять в ширину и метров десять в длину. Зачем человеку понадобилось два бассейна — большой и маленький, когда Нева протекает в двух шагах от дома, оставалось для Ларисы загадкой. Возможно, хозяин так любит воду, что плещется в ней всегда и всюду, где только возможно. Или вода тут какая-нибудь особенная?

Лариса не удержалась. Наклонившись, она зачерпнула рукой воду, а потом лизнула пальцы.

— Так и есть, минеральная! Вот ведь гад, еще и о здоровье своем беспокоится!

Возмущенная до глубины души, Лариса проследовала дальше. Да и что еще ей оставалось делать, если путь наверх был временно отрезан?

Пройдя через четыре комнаты, предназначения которых она так и не поняла, Лариса вновь очутилась перед выбором. Наверх или вниз? Лестница в этом месте раздваивалась. И здравый смысл твердил Ларисе, что ей идти надо наверх, а потом снова наверх, на второй этаж. Но куда громче здравого смысла пищал тонкий голосок откуда-то из самого нутра Ларисы.

«Вниз! Скорее! Не медли! Еще чуть-чуть — и будет поздно!»

И Лариса решила послушаться этого своего голоса. К тому же за ее спиной послышались шаги охраны.

— Да тут она. Где же ей еще быть! Наверх она пройти не могла! Там закрыто.

Путь вниз был коротким. И помещения, в которых очутилась Лариса, мало напоминали хозяйские покои. Стены тут были бетонными, полы каменными, а к сырости, которая чувствовалась в воздухе, примешивалась еще и вонь. Чувствуя, что на пятки ей наступают, Лариса ускорила шаги. Куда же она попала? Помещение было довольно большим. Оно располагалось на самом нижнем ярусе, ниже уровня земли, так что окон тут не было. И двери, мимо которых торопилась Лариса, все были железными с крохотными зарешеченными окошками.

Что-то эти двери Ларисе сильно напоминали, но девушка была слишком напугана, чтобы сообразить, где очутилась.

— Сюда! — внезапно услышала она голос, который доносился из-за одной из дверей. — Ключ справа от двери. Открой и зайди!

Лариса взглянула в сторону, откуда слышался голос, и увидела, что к одному из зарешеченных окошек прижимается симпатичное мужское лицо. Сама не зная, почему так поступает, Лариса схватила ключ, отворила дверь и очутилась в камере, иначе не назовешь. Окон нет. Дверь заперта. Крохотное окошко прикрыто крепкой решеткой.

Правда, комната была неплохо меблирована. Из мебели тут была прочная кровать, хотя и привинченная к полу, но зато укрытая меховым покрывалом. Бетонный пол от идущего снизу холода закрывал узорчатый шерстяной ковер. А в углу стоял и вовсе антикварный столик с подносом, на котором глазастая Лариса разглядела куски панциря краба.

Человек, который зазвал ее к себе в камеру, опустился на пол, едва только Лариса вошла.

— Тихо, — прошептал он. — Закрой дверь.

Лариса вновь послушалась. Секунду спустя в коридоре послышался топот ног и голоса.

— Тут она! Ищите!

— Где искать-то? В камерах, что ли?

— Наверх она ушла!

И топот ног стал удаляться. Последнее, что услышала Лариса, было полувосхищенное-полузлобное восклицание:

— Лихая дамочка, чтоб ей пусто было!

Шум погони затих. Но Лариса еще долго просидела, скрючившись в углу камеры. Нутром она чуяла, что избежала очень большой беды. Кем бы ни был запертый тут человек, он спас ее от ужасной кончины. Мысль о нем заставила Ларису подать голос:

— Эй, вы как? Кто вы такой?

Но мужчина не пожелал ответить на этот вопрос. Вместо этого он нервно поинтересовался:

— Как думаешь, они ушли?

— Да.

— Иди сюда. Видно, тебя мне сам Бог послал. Скажи, ты ведь не одна из них?

— Из кого — из них?

— Да ладно, даже если и одна из них, ясно, тоже спрыгнуть решила. Иначе они бы за тобой не гонялись. Ведь верно?

И мужчина сдавленно захохотал. Лариса успела заметить, что выглядит он довольно хорошо для пленника. То ли попал в этот подвал совсем недавно, то ли содержался в относительно человеческих условиях. Лариса не удержалась и с любопытством оглядела своего случайного знакомого.

На вид ему было под пятьдесят, но он был крепок и даже упитан. На нем были хорошо сшитый льняной костюмчик, свежая рубашка, а на носу красовались очки в дорогой оправе. На мизинце сверкал перстень с розовым бриллиантом потрясающей красоты. Стрижка, ухоженная кожа рук и лица, тщательный маникюр, разумеется, без лака, но с тщательной проработкой — углублением и расчисткой лунки ногтя.

И вообще, вид у этого типа был таким, что он сам вполне мог бы оказаться владельцем этого дома.

— Слушай, я дам тебе записку, а ты передашь ее одному человеку, — шептал ей между тем мужчина, дрожа от возбуждения, словно безумный. — Ни о чем меня не спрашивай. Просто передай, и все!

— Как это все? А вдруг это опасно?

— Скажи, Распутин тебе враг?

— Кто?

— Хозяин этого дворца, будь он трижды неладен. Гришка... Гришка Распутин!

— Так он же вроде бы умер?

— Кто?

— Распутин. Еще давно, в шестнадцатом году.

— Сегодня утром с ним разговаривал! Что ты меня путаешь?

— Наверное, однофамилец, — пролепетала Лариса, чувствуя себя страшно неудобно, оттого что знала ТОГО Распутина, но не знала ЭТОГО.

— Слушай сюда, да ухом, а не брюхом! Отдашь эту записку — и Гришке конец! Всем его финансовым пирамидам конец! Воздушным замкам конец! И его прихлебателям тоже конец!

— А Эрнсту? Ему конец?

— Кто такой?

— Генеральный директор строительной компании «Эрнст».

— А... И этому тоже конец! Таких директоров у Гришки по всему бывшему Союзу раскидано знаешь сколько?

— Сколько?

— Много, — сообщил Ларисе этот странный тип. — В общем, передашь записку и можешь спать спокойно!

— Почему?

— Все твои проблемы я решу! Верней, они сами собой решатся. Не станет Гришки, не станет у тебя и проблем! Да и у меня тоже.

И сунув Ларисе в руку клочок исписанной бумаги, мужчина сказал:

— Значит, запоминай адрес. Улица Академика Павлова, дом...

Произнеся адрес и убедившись, что Лариса все запомнила правильно, он взмахнул рукой:

— Беги! Да, и дверь моей «кельи» снаружи не забудь закрыть!

Повинуясь властному жесту человека, который явно привык командовать другими, Лариса кинулась к выходу. Но тут же замерла и оглянулась:

— А как же вы?

— Что?

— Почему вы не пойдете со мной? Я вас выведу из дома!

По лицу незнакомца скользнула странная усмешка.

— Еще неизвестно, кто и кого бы вывел! — хмыкнул он. — А ты смелая девочка! И чего тебя потянуло к плохим парням?

— У меня пытаются отнять мой дом.

— Ну-ну, — снова хмыкнул этот странный тип. — Помоги мне, и я верну тебе твой дом!

— Так пойдемте! Чего вы ждете?

— Не могу я! Думаешь, все так просто? Дочка моя у Гришки то ли в наложницах, то ли в заложницах! А сын в лакеях! Думаешь, если я уйду, они долго проживут?

— Так возьмем и их тоже!

— Дура ты! Думаешь, у Гришки один дом? Нету моих детей тут, в другом месте он их держит. В общем, сделай, что я тебе сказал, и будем мы с тобой дружить на все времена. А моя дружба, уж ты мне поверь, дорого стоит!

И, как ни странно, Лариса ему поверила. А даже если бы и не поверила, она все равно бы помогла этому человеку. Ведь он был заперт в камере, имел шанс спастись, но не бежал, а оставался в плену, чтобы не пострадала его семья. Вот этот поступок действительно дорогого стоил!

— Я обязательно вам помогу! — горячо пообещала она мужчине. — Вы только ждите!

— Поторопись, пигалица. И знаешь... Ты сейчас обратно пойдешь, куда тебе надо попасть-то?

— На полянку, где барбекю.

— А-а-а... — с видимым удовольствием протянул мужчина. — Узнаю вкусы Григория. Все шашлыки бы ему, да мясо, жаренное на вертеле. Любит, что поделаешь. Ладно, иди сейчас налево и до упора. В стену упрешься, нажми на белый камень. Да хорошенько так дави, не жалей сил. Как проход откроется, вылезешь через кусты, как раз возле полянки. Ну а дальше действуй, как ум подсказывает!

Лариса вышла из камеры, аккуратно заперла ее вновь на ключ и поспешила в указанном направлении. Она не очень-то понимала, почему так поступает, но все же шла, куда ей было велено. В указанном направлении действительно имелась стена, сложенная из камней. И белый камень среди прочих также нашелся.

— Что я делаю? — пробормотала Лариса, изо всех сил давя на камень. — Ведь глупость же! Еще «сим-сим, откройся» сказать бы посоветовал!

И тут ей показалось, что камень зашевелился. А затем часть стены, оказавшаяся всего лишь декорацией, отошла в сторону, и на Ларису пахнуло свежим воздухом.

— Ну надо же! — восхищенно пробормотала женщина. — Не подвел ведь! Молодец, дядька!

Лариса выбралась через лаз, и стена тут же вернулась в обратное положение. Теперь Ларисе предстоял путь наверх по узкому туннелю. Но и ему пришел конец. Встав в полный рост и отряхнувшись, Лариса пробралась через густые кусты к виднеющемуся в них просвету. Возможно, она бы и еще пошарила возле дома в надежде найти какие-то улики, но доносящиеся до ее слуха голоса говорили о том, что ей пора возвращаться.

В отличие от нее самой, у Богдана дела шли явно хуже.

– И где твоя жена? Где твоя баба, я спрашиваю? Стой смирно, глаз не отводи!

Лариса глянула на поляну и увидела своего Богдашу, которого тыкал в нос кулаком здоровенный охранник. Богдана держали под руки еще двое амбалов. Мерзавец Эрнст, какой-то скукоженный, сидел тут же на стульчике, наблюдая за церемонией истязания с явным удовольствием. В Ларисе все взметнулось, перевернулось и возмутилось.

Бить мужа! Да она даже самой себе никогда такого не позволяла! Хотя иногда руки и чесались дать Богдану разок в нос. Особенно когда он болтался со своими многочисленными дружками, решая их насущные проблемы вместо того, чтобы решать проблемы своей семьи. Но как бы ни относилась Лариса к собственному мужу, сейчас все ее чувства были на его стороне.

– Это что вы тут такое творите?! – вылетела она из кустов, одной рукой поправляя платье, а второй хватая здоровенный сук. – Безобразие!

Подскочив к охранникам, она резво стукнула одного и другого палкой, затем те спохватились и вырвали оружие из ее рук. Но сделав это, они были вынуждены отпустить Богдана. И тот немедленно подбежал к Эрнсту.

– Скажи своим людям, чтобы они ее отпустили! Мы к тебе как к человеку, а ты! Фиг тебе после этого, а не купчая на дом и землю!

Эрнст при появлении Ларисы сделался изрядно ошарашенным.

— Где вы были? — обратился он к ней. — Мы вас всюду искали.

— А вам какое дело?

— Значит, мне есть дело, если спрашиваю. Где вы были?

— В кустах! Живот у меня прихватило!

— Живот? Вы что? Больная?

— От вашей еды и у здорового человека живот схватит. Что за дрянь вы в салаты напихали? Кто их вам готовил? Небось в дешевой забегаловке на развес приобрели?

Взгляд Эрнста забегал. И Лариса поняла, что с салатиками она угодила в точку. Сколько бы денег ни получил Эрнст для организации застолья, он поскупился и продукты купил подешевле. Помидоры были мятыми. Огурцы вялыми. А зелень неприятно поражала желтизной.

И Лариса продолжила наступление:

— Почему вы били моего мужа?

— Никто его не бил!

— Били! Я видела! В кустах сидела и все видела. Подойти только не могла, потому что, говорила уже, живот схватило!

— И что же вы видели?

— То и видела! Сначала вы тут все носились, как полоумные! Петард взрывающихся давно не видели? С Нового года уже успели забыть, что это такое? А потом, когда из дома дым вонючий пополз, вы мужа моего схватили и начали его трясти!

— Ну да, все так и было.

Взгляд Эрнста стал более мягким.

— Значит, вы все это время провели в... м-м-м... в кустиках? А почему в дом в туалет не пошли?

— Не добежать мне было! — огрызнулась на него Лариса. — Салатики эти ваши... Смените поставщика, вот мой вам совет!

И согнувшись в три погибели, Лариса упала на траву. Местечко она себе выбрала почище, где травка была погуще. Оказавшись на земле, Лариса самозабвенно застонала:

— Ох, как крутит! Господи, помру сейчас! Врача! «Скорую»! Воды с содой! Марганцовки! Умираю!

Надо сказать, что за свою супружескую жизнь Лариса неоднократно прибегала к этому испытанному средству. Разыграть тяжело больную и увильнуть от какой-то неприятной обязанности. И всегда эта хитрость ее выручала.

Ларису еще бабушка обучала этой нехитрой женской премудрости:

— Станут к тебе приставать, а ты ляг на кровать и притворись больной. С больной-то какой спрос? Небось и отстанут от тебя.

Правда, имелась у этой хитрости и одна закавыка. И ее бабушка тоже не стала скрывать от внучки:

— Только часто так не делай, а то муж любить не будет. Мужья, они шибко больных баб избегают.

Но сейчас Лариса в очередной раз убедилась, до чего хорошо работает это средство. Увидев ее в таком состоянии, Эрнст здорово перепугался. Лицо у него вытянулось и побледнело. А сам он как-то еще больше скрючился. Охранники встревожились. Гости всполошились.

Да что там, даже Богдан, который хорошо знал свою жену, и тот побледнел и затрясся.

— Она умирает! Что вы с ней сделали? Отравители!

Разумеется, при таком скоплении потенциальных свидетелей нельзя было оставить корчащуюся от боли женщину без медицинской помощи. Были вызваны врачи, которые, едва осмотрев выставленные на столе салаты, брезгливо покрутили носами и вынесли единодушный вердикт:

— Немедленно в стационар!

Под руку с мужем Лариса доковыляла до машины «Скорой помощи». Эрнст следовал за ней по пятам. Выглядел он не ахти. И уже раза три отлучался в дом. То ли в туалет бегал, то ли на консультацию к хозяину.

— А как же Басков? — растерянно вопрошал Эрнст. — Я уже договорился. Человек подъехал, а вы...

На этом месте он неизменно тяжко вздыхал, словно сетуя на людскую неблагодарность.

И уже садясь в карету «Скорой помощи», Лариса не удержалась и спросила:

— Где же ваш Басков?

— А вон он стоит!

Лисицыны взглянули. В той стороне, куда указывал Эрнст, действительно стоял высокий блондин, которого можно было издалека принять за Баскова. Видимо, хозяин посоветовал Эрнсту быстренько изготовить двойника для дуры.

Лариса фыркнула и сухо посоветовала Эрнсту:

— Не держите меня за круглую идиотку. А насчет продажи нашего дома мы с вами поговорим, когда я поправлюсь.

— Только не затягивайте с этим вопросом.

— Не буду, — величественно пообещала ему Лариса.

Эрнст помахал вслед рукой и вновь поспешил внутрь дома. Видимо, выпитое им слабительное все же начало действовать.

Надо ли говорить, что стоило машине «Скорой помощи» отъехать от дома, как Ларисе незамедлительно стало лучше?

— Собственно говоря, мне уже настолько хорошо, что мы сойдет прямо тут, — заявила она ошеломленным врачам. — Остановите!

— Но мы не мо...

Однако вовремя появившаяся в руках Богдана купюра заставила эскулапа умолкнуть.

— Как хотите, — хмуро пробормотал он, причем деньги исчезли из пальцев Богдана, словно бы сами собой растворились. — Где вас высадить? Прямо тут?

Дождавшись, пока врачи уедут, супруги вернулись к своей машине. Настроение у них было паршивенькое. Та цель, ради которой они затеяли сегодняшний спектакль, так и не была достигнута. Все их усилия оказались потраченными впустую. Богдан по удрученному виду жены уже понял, что случился провал. И на подробный пересказ того, как она заблудилась в дыму, Ларису сподвигла только фляжка с виски, которую муж достал из бардачка.

Но мужу она рассказала лишь первую часть своих приключений в дыму. О том, как она вместо того, чтобы пойти вверх по лестнице, начала спускаться вниз, Лариса умолчала. Во-первых, потому, что муж обозвал бы ее идиоткой и в чем-то был бы даже прав. А во-вторых... во-вторых, Ларисе казалось, что тот тип из подвала хотел бы соблюсти тайну их с Ларисой договора.

Поэтому Богдан услышал усеченную версию о передвижениях жены по дому. Но ни капли не усомнился в полноте рассказа Ларисы, потому что любил ее и привык ей доверять.

ГЛАВА 3

Выслушав жену и заведя двигатель, Богдан вопросительно взглянул на Ларису:

— Ну что? Домой?

— А куда еще? — устало вздохнула Лариса. — Домой, конечно. Надо передохнуть перед завтрашним днем. Собраться с мыслями. Зализать раны.

Машинально взглянув в зеркальце, Лариса охнула. На нее смотрело какое-то бледное чудище с растекшейся от слез тушью. Видимо, когда охранники дубасили Богдана, она плакала. Открыв сумочку, Лариса хотела достать влажные салфетки, чтобы снять с лица испорченный макияж. И тут ее взгляд невольно зацепился за листок бумаги. Заинтересовавшись, что бы это могло быть такое, Лариса развернула листок и с удивлением увидела длинный ряд непонятных ей символов.

Частично эти закорючки напоминали руны, частично были похожи на иероглифы. Но Лариса точно знала, что ничего подобного в жизни не писала. Откуда же тут взялся этот листок? Да еще значки написаны явно чернилами.

И тут Ларису осенило. Это ведь та самая записка, которую она обещала передать!

— Богдаша, мы как с тобой домой поедем?

— Как обычно. По окружной.

— А если заедем на улицу Академика Павлова? Что скажешь?

— Зачем? Это же Аптекарский остров. Центр! Зачем тебе туда?

— Так... Надо.

Лариса не хотела говорить мужу правду не потому, что не доверяла Богдану. Просто он начал бы за нее волноваться, трепыхаться или, чего доброго, потащился бы вместе с ней. А Ларисе казалось, что в то поручение, которое дал ей странный пленник, лишних свидетелей лучше не впутывать. Целее будут.

И Лариса начала самозабвенно врать мужу:

— У меня там портниха живет. Я ей юбку отдавала, подкоротить. Вот, хочу забрать.

— Как ты в такое время можешь думать о нарядах? — возмутился Богдан, но в указанном направлении послушно свернул. Был приучен, что с женщинами лучше не спорить. Только и решился, что спросил:

— Прямо так и пойдешь? В вечернем платье?

— Да, прямо так и пойду!

— Поздно уже.

— Раньше я была, знаешь ли, несколько занята!

Дальше супруги ехали молча. Богдан дулся на жену за просьбу, которую счел глупым бабским капризом. А Лариса... Ларису стали одолевать сомнения. Правильно ли она поступает, доверяясь странному пленнику? Не втянул бы он ее в беду еще худшую, чем уже есть. Но Лариса напомнила себе, что дала слово человеку. И вообще, если она сейчас передумает, то муж окончательно сочтет ее взбалмошной истеричкой и, пожалуй, будет прав.

Поэтому Лариса вышла у нужного ей дома и направилась к подъезду. Из дверей старинного здания как раз выходила бабулечка, по виду его ровесница. Но сморщенный божий одуванчик держал спину прямо, и Лариса решила рискнуть:

— Скажите, квартира тридцать — это в вашем подъезде?

Старушка, до того безмятежно взирающая на Ларису, внезапно замерла и даже как-то ощетинилась.

— А с виду еще приличная женщина! — сердито произнесла она вместо ответа. — Туда вон иди!

И ткнув пальцем в указанном направлении, она смерила Ларису откровенно сердитым взглядом.

— И чего вам всем от мужика надо? Ведь страшный какой! Грязный, волосатый! Бывало, хламиду на себя вонючую нацепит, в ушах серьги, в носу перья, жуть жуткая! А под хламидой-то ничего, ни брюк, ни подштанников! Срам смотреть! И чего вы к нему все претесь и претесь целыми толпами? Других мужиков найти себе не можете? Чего к уроду пристали?

Лариса пожала плечами и отвернулась. При этом она перехватила взгляд Богдана, который хоть и не слышал их разговора с бабкой, но явно заинтересовался передвижениями жены.

— Забыла, где портниха живет? — крикнул муж, поймав на себе ее взгляд.

Бабка в сердцах плюнула и двинулась прочь. А Лариса прошла в указанном направлении и действительно обнаружила табличку с номером нужной ей квартиры. Как свидетельствовала табличка, тридцатая квартирка была на четвертом этаже. Лифт в доме был, но почему-то не работал, хотя в целом дом производил благоприятное впечатление. Стены были недавно покрашены, потолок побелен. И на лестнице не пахло никакими противными вещами, а наоборот, сладко пахло чьими-то дорогими духами.

Лариса начала подниматься по лестнице, от нечего делать считая ступени под ногами. Интересно все-таки жить в старых зданиях. Наверное, по этим ступеням когда-то ходили дамы в изящных ботиночках и подметали полы шлейфами и подолами своих длинных платьев. Кисея и бархат. Шелковые зонтики. Вышитые носовые платочки. Кабриолеты, запряженные парой серых лошадей. Как давно это все было! Исчезли и лошади, и дамы, а дом все стоит, снисходительно взирая на своих новых жильцов.

Неожиданно где-то наверху хлопнула дверь. Затем раздался грубоватый мужской голос и мелодичный женский смех. А еще спустя минуту мимо Ларисы пробежала красивая женщина. На ее лице играла счастливая улыбка. Щеки раскраснелись, а глаза сияли. Незнакомка миновала Ларису, лишь на мгновение задержавшись на ней взглядом. Затем на ее губах появилась понимающая улыбка, и она неожиданно подмигнула Ларисе.

— Иди, не бойся. Не пожалеешь!

— О чем вы?

— Ты же в тридцатую поднимаешься? Вот я тебе и говорю, иди, не пожалеешь! Такой вот мужик!

И она выразительно оттопырила большой палец.

— О чем вы, милая? — строго произнесла Лариса. — У меня муж есть!

— И я замужем! Вот и колечко имеется!

И веселая дамочка, продемонстрировав Ларисе очень красивое обручальное кольцо в виде венка из цветочных бутончиков, каждый из которых был украшен довольно крупным брильянтиком, унеслась прочь, оставив после себя облако сладких духов.

Лариса пожала плечами и двинулась по ступеням дальше. Что бы ни происходило в тридцатой квартире, у нее есть дело, которое она должна выполнить.

На ее звонок сначала долго никто не открывал. Но Лариса слышала слабые отголоски музыки и продолжала звонить. Наконец за дверью послышались характерные звуки, возвещающие о приближении хозяина. Но никто не спросил у Ларисы, зачем она пришла. А потом дверь, словно сама собой, неожиданно распахнулась.

— Ой! — не удержалась от восклицания Лариса.

И было от чего закричать. Открывший ей мужчина был гол, уродлив и отвратителен! Более страшного мужика Ларисе в жизни своей видеть еще не приходилось. Сальные волосы спускались до плеч, руки были длинными и какими-то по-обезьяньи хваткими. К тому же они густо поросли светло-коричневыми волосами, напоминавшими шерсть какого-то животного.

В отличие от рук, торс мужчины был лишен волосяного покрова. Да и какого-либо иного покрова тоже. Лариса стыдливо отвела глаза, но все же не могла не восхититься мужской мощью этого орангутанга.

— Новенькая? — деловито осведомился мужчина. — На беседу? Заходи!

Сама не зная, почему она так делает, Лариса послушно шагнула через порог. Мужчина немедленно облапал ее своими ручищами и ласково прогудел в ухо:

— Дрожишь? Не бойся, не обижу!

— Я к вам по делу, — почти теряя сознание от странных ощущений, охвативших ее, пролепетала Лариса.

Она видела, что ее провели по длинному коридору, мимо двух открытых комнат и ведут в третью, где уже стояла разобранная кровать со смятым бельем.

— У меня к вам дело.

— Понятно. К Мишке все по делу идут. Расценки знаешь?

— Расценки? Вы имеете в виду деньги?

— Деньги меня не интересуют. А вот душа... За твою душу, моя красотуля, выполню любое твое желание!

— За душу? Вы имеете в виду, что хотите получить мою душу?

Внезапно Ларисе стало жутко страшно. Этот человек психически больной! Ненормальный! Куда только она ввязалась? Он хочет получить ее душу! Наверное, хочет убить ее! А как же иначе добраться до души?

Но как раз в тот момент, когда Лариса собиралась громко заорать и даже рот открыла, мужчина ее отпустил. Он совсем отодвинулся от нее и неожиданно деловым тоном произнес:

— Оплата производится только после исполнения договора.

— Чего?

— Говори, какое у тебя желание? Хочешь любви? Денег? Какого-то мужчину?

— Мне нужен дом! — выпалила Лариса. — То есть он у меня уже есть, но у меня хотят его отнять. А мы с мужем...

— Стоп, стоп, про мужа речи не идет. Одна душа — одно желание. Конкретно твое желание, красавица. Согласна?

— Вообще-то у меня к вам дело. Или не к вам, а уж не знаю, к кому. Вы тут один живете?

— Нет, нас много, — совершенно серьезно произнес Михаил.

При этом Лариса уже успела увидеть, что в квартире, кроме них двоих, никого нету. Все три комнаты были пусты. В ванной не шумела вода. На кухне никто не возился. Этот тип точно чокнутый! О чем она только думала, когда сунулась в квартиру одна?

— А... а у меня записка. Кому же мне ее отдать, если вас много?

— Записка?

— Да... вот она!

И Лариса вытащила клочок бумаги, переданный ей в подвале странным пленником. Она ничем не рисковала. Если эта записка предназначалась кому-то другому, Михаил бы ничего не понял в странных иероглифах, как ничего не поняла в них сама Лариса.

Но Михаил понял. Девушка увидела это по странно исказившемуся лицу мужчины. Михаил и вообще красотой не блистал, а тут его лицо и вовсе исказилось до неузнаваемости. В нем был и страх, и отчаяние, и еще что-то такое, от чего у Ларисы душа в пятки ушла. Да, да, та самая душа, которую еще несколько минут назад у нее безуспешно пытался сторговать хозяин квартиры.

Только сейчас тому было не до веселья. Он схватил Ларису за плечо и прорычал ей прямо в самое лицо:

— Где ты это взяла?

— Мне... мне дал... дал один человек. Сказал, что если я помогу ему, передам эту записку, то он поможет мне вернуть назад дом.

— Погоди ты со своим домом! — с досадой отмахнулся от нее Михаил. — Где ты видела этого человека? И когда?

— Сегодня. Пару часов назад.

— Где?

Михаил выглядел сильно взволнованным. Он так схватил Ларису за руку, что она поморщилась от боли.

— Я вам скажу. Только если вы отправитесь его спасать, то он все равно с вами не пойдет.

У него сын и дочь в руках врага. Ему их сначала выручить надо.

Но Михаил уже не слушал ее.

— Ах, подлец! — бормотал он. — Ах, негодяй! Какой же он скунс!

— Вы это про кого?

— Знал, что братец у меня гад последний, но чтобы со своими родными таким образом поступать... Нет, такое прощать нельзя! Говоришь, Витька с Анькой тоже у него в лапах оказались? Да что ты молчишь? Говори все, что знаешь! Тут дело жизни и смерти! Отвечай! Ты за кого? За него или за нас?

Лариса в ужасе молчала. У нее просто отнялся язык от страха. Михаил трепал ее, словно курица червяка. Теперь Лариса окончательно убедилась в своих подозрениях, этот Михаил законченный сумасшедший. Наверное, и тот тип в костюмчике, с которым она познакомилась в подвале, тоже с приветом. Поэтому его родственник в подвале и держит, чтобы добрых людей не пугал.

Но она-то как вляпалась! Своими собственными ножками притопала, сама себя в руки ненормального психопата отдала. Сначала к одному сунулась, потом к другому. А может, их еще больше? Недаром ведь этот тип сказал, что их много!

— Дяденька, пустите, — жалобно вырвалось у нее. — Я ведь все, что знала, уже сказала. Записку вам отдала и...

— Да, записка! — спохватился Михаил. — Кроме Федора ее еще кто-нибудь видел?

Лариса открыла рот, чтобы сказать, что никто, но вовремя спохватилась. А вдруг этот Михаил решит, что все надо сохранить в тайне, и захочет Ларису ликвидировать?

— Мой муж видел, — заторопилась Лариса с ответом. — И... и еще любовник. Да! И брат! И брат моего любовника. Он тоже видел!

Многовато людей, получилось, она повидала всего за пару часов. Но Михаила это не насторожило. Наоборот, он облегченно выдохнул:

— А больше никто?

— Нет.

— В том доме, где Федора держат, никто не видел? Хозяин не видел?

«Так вот кого ты опасаешься! Выходит, хозяин дома тоже знал тайный шифр и мог прочесть послание» — эти мысли промелькнули в голове у Ларисы быстрее ветра.

А Михаил уже выпустил ее из рук, о чем-то глубоко задумавшись. Воспользовавшись тем, что он отвлекся, Лариса начала потихоньку перемещаться обратно к выходу. Шажок за шажком она двигалась к спасительным дверям. И когда до них оставалось всего пару шажков, в дверь внезапно позвонили. Лариса, словно ошпаренная, прыгнула назад.

— Опять кого-то там нелегкая принесла! — прошипел Михаил, тоже появляясь в коридоре. — Спрячься!

Последняя фраза относилась к Ларисе. Девушка растерянно заметалась по холлу. Где же ей спрятаться? Попыталась залезть под висящий на вешалке длинный плащ. Плащ у нее отнял Михаил, решивший все же прикрыться. Потом девушка попыталась укрыться в шкафу, но тоже потерпела фиаско. Шкаф был забит какими-то шмотками, поместиться в нем взрослой женщине было просто невозможно.

— Назад иди! — прошипел Михаил. — В спальню!

Лариса метнулась назад. Да, она удалялась от спасительных дверей, но вид у Михаила был слишком грозен, чтобы она посмела открыто его ослушаться. Новый план Ларисы был прост до неприличия. Она усыпит бдительность Михаила своим послушанием. А когда тот откроет входную дверь, она вылетит и прорвется к спасению. Ну, не станет же Михаил ей снова руки крутить, особенно на глазах у свидетелей или свидетельниц.

Уверенная, что к Михаилу заявилась очередная дамочка, охочая до мужской ласки, Лариса притаилась в спальне.

Михаил открыл дверь, и Лариса услышала его голос:

— Ты? А чего... чего это на тебе надето?

Но тут же Михаил осекся. И, перебив самого себя, пробурчал:

— Впрочем, ладно, не до того сейчас. У нас проблема...

После этого голос Михаила стих. Внезапно проснувшееся любопытство некстати подняло голову. Лариса изо всех сил напрягла слух. Но время шло, а голосов в квартире слышно не было. Если Михаил и разговаривал со своей гостьей или даже гостем, то делал это вполголоса.

«Что он там делает? — терзалась Лариса. — Кто к нему пришел? Пора мне уже бежать или подождать?»

Но выглянуть она опасалась. Дверь спальни находилась почти напротив входной двери, и поэтому Лариса предпочитала немного выждать. Прошло минуты три, потом четыре, потом пять. Терпение у Ларисы истощилось, и она осторожно выглянула через щелочку. Увиденное ее вдохновило. Входная дверь была открыта, и в ней мелькнула какая-то тень. Вроде бы краешек пестрого платья. Самого Михаила больше видно не было.

«Наверное, на площадку вышел! Там разговаривает!»

И Лариса вновь двинулась по коридору, будь он неладен! Сначала она двигалась быстро, но затем притормозила. Входная дверь мягко затворилась чуть ли не у нее перед носом, вновь отрезав ей путь к отступлению. Лариса едва не взвыла от отчаяния. Она поспешила вперед, но тут взгляд ее зацепился за нечто непонятное, чего находиться тут было не должно. На полу в прихожей у самой двери лежало что-то большое и темное.

Сначала Лариса хотела взвизгнуть, но голосовые связки словно сжала чья-то каменная рука. Лариса тяжело задышала, пытаясь понять, почему так испугалась.

Прошло не меньше минуты, прежде чем Лариса сообразила, что это лежит Михаил, нацепивший на себя длинный темный плащ. Немного удивившись про себя (чего это он тут разлегся?), Лариса решила не обращать внимания на чудачества хозяина. Ясно ведь уже, что он псих ненормальный. Надо уносить отсюда ноги. А если хозяину пришла охота немножко поваляться на полу возле дверей, так это его личное дело. Лариса ему в этом мешать не собирается.

Проблема заключалась в том, что Михаил своим телом преграждал Ларисе путь.

— Ишь, разлегся! — с досадой прошептала Лариса. — Кабан какой-то! Не пройти не проехать!

Лариса примерялась так и этак, но выхода иного не было. Пришлось осторожно наступить на спину, а уже с нее прыгнуть к двери. Лариса ожидала, что Михаил взорвется проклятиями, когда она острым каблуком воткнется ему между лопаток, но он отнесся к происходящему совершенно равнодушно. Лариса была уже возле входной двери, она даже ощущала, как под ее руками мягко подается дверная ручка. И тут ее внезапно обуяло дикое любопытство.

Когда спасение было далеко, любопытство как-то дремало, отдавая поле деятельности другим чувствам — отчаянию, страху или гневу. Но теперь и оно подняло голову и властно потребовало от Ларисы выяснить причину столь странного спокойствия мужчины.

— Михаил, — шепотом позвала она. — Михаил, вы... спите?

Более дурацкий вопрос придумать было сложно. Но еще удивительнее было то, что мужчина не подал голоса. И Лариса, передумавшая уходить, осторожно поковыряла его бок носком туфельки. Глупо и наивно, учитывая, что минутой раньше мужчина не отреагировал даже на острую шпильку, воткнувшуюся ему в спину.

— Михаил, с вами все в порядке? — повысила голос Лариса.

Но Михаил и тут ничего ей не ответил. Так и лежал, уткнувшись носом в мохнатый коврик. Лариса осторожно наклонилась и потрогала мужчину. Вроде бы теплый.

— Миша, — ласково позвала она. — Мишенька, ты как?

Говоря это, она дотронулась до затылка мужчины. Осторожно повернула голову и едва удержалась от испуганного возгласа. Прямо на нее смотрели широко открытые глаза мужчины.

— Фу! Придуриваетесь? Очень глупо! Я испугалась.

Но тут Лариса увидела аккуратное круглое отверстие, которое образовалось между глазами Михаила. На мохнатом коврике было несколько красных пятен. И дотронувшись до них, Лариса ощутила противную до дрожи и очень знакомую липкость.

— Мама родная, — прошептала она едва слышно. — Михаил, а вы знаете... у вас в голове дырка!

И тут наконец до нее дошло, что Михаил ее не слышит. И никогда больше уже не услышит. Ни ее, ни кого другого. Потому что он мертв, и даже не просто мертв, а убит, застрелен кем-то, кто приходил к нему и кто, возможно, еще находится за дверями квартиры.

Одного мгновения хватило Ларисе на то, чтобы подскочить и закрыть замок. Дверь тут была хорошая, тяжелая, бронированная. По такой хоть из пушки пали, хоть из пистолета. Теперь Лариса могла ощущать себя в некоторой безопасности. Если нахождение в квартире наедине со свежеиспеченным покойником вообще можно считать безопасным делом.

— Ой, ой, ой! — заскулила Лариса. — Это же надо так влипнуть! И за что мне все это?

Ясное дело, никто ей не ответил, да она ответа и не ждала. Так спросила, для проформы.

— Что же мне теперь делать?

Вот это был более актуальный вопрос. И его-то Лариса и начала обдумывать в первую очередь. Конечно, как законопослушная гражданка она понимала, что в первую очередь в таких случаях вызывают полицию. И еще врачей. Но врачей могут пригласить и сами полицейские. А вот что делать ей? Лариса уже потянулась к телефону, но передумала. Нет, полицейские обязательно начнут задавать ей вопросы. Как она появилась в этой квартире? Что за отношения связывали ее с покойным Михаилом?

Лариса понимала, что все ее в высшей степени правдивые оправдания покажутся полицейским не только неправдивыми, они сочтут их неумелой и неумной ложью.

— Мне никто не поверит, если я им расскажу! Надо уходить!

Но и уходить было страшно. А вдруг за дверью притаился убийца? Тот, кто застрелил Михаила, может быть, захочет убить и Ларису тоже? И все же ей казалось, что убийца уже ушел. Испугался той самой полиции, которую Лариса не захотела вызвать.

И в утешение самой себе она сказала:

— А полицию я могу вызвать и из другого места. В конце концов, я совершенно не представляю, кто мог убить Михаила. Значит, и ценности для полиции не имею. Вызову их потом. Или... или они сами придут.

Эта мысль подтолкнула Ларису к ряду действий. С невесть откуда взявшейся в ней хитростью девушка принялась уничтожать все следы своего пребывания в квартире. Так, за что она тут хваталась? Вроде бы ни за что, кроме самого Михаила. Нет! Дверная ручка. И еще ручка в комнате. И... и записка! Ее тоже надо изъять!

Записка высовывалась из пальцев Михаила. И Лариса быстро ее выдернула, искренне надеясь, что делает доброе дело, а не совершает непоправимую ошибку. И когда уже все было готово, она внезапно услышала звонок в дверь.

— Не успела!

Ларису обдало холодным потом. Неужели это вернулся убийца? Решил, что одного выстрела недостаточно? Или надумал обыскать квартиру? Или полиция? Сам убил, сам вызвал, чего проще?

— Мишечка, рыбочка, — раздался из-за двери несколько приглушенный, но все же хорошо различимый женский голос. — Открой мне! Это я — твоя Котечка.

Лариса с облегчением вздохнула. Нет, не убийца. И не полиция, похоже. Но тут же она насторожилась вновь. Дамочка за дверью проявила характер и кричала все громче и громче.

— Мишечка! Открой!

А потом снова начала сюсюкать:

— Я не уйду, Мишечка. Буду стоять тут, пока ты мне не откроешь. А потом еще шуметь стану. Если понадобится, всю ночь тут проведу. И шуметь буду тоже всю ночь!

Лариса вновь похолодела, представив, как возмущенные соседи вызывают полицию. Полицейские начинают разборки с любвеобильной дамочкой. А внизу ее ждет Богдаша, который с каждой минутой теряет терпение. Всю ночь он точно не вытерпит. Начнет искать свою жену, будет звонить, потом пройдет по подъездам. Увидит полицию, заинтересуется, дождется, пока дверь будет взломана. И... и увидит свою жену наедине с голым мужиком, пусть даже и мертвым.

Нет, этого нельзя допустить!

— Надо что-то делать. Причем срочно.

Лариса думала недолго. Сначала она отволокла Михаила в спальню, где с максимальным комфортом устроила мужчину в кровати, прикрыв одеялом. Затем вернулась к входной двери, перенесла часть вещей из шкафа, устроила их на вешалке и зашла в освободившееся в шкафу место. А затем, высунув руку и открыв замок на двери, она гаркнула:

— Жду тебя в спальне, Котя!

Ей удалось довольно ловко сымитировать голос Михаила. И как она и рассчитывала, любвеобильная дама пронеслась через прихожую, даже не посмотрев по сторонам. А Лариса, выбравшись из шкафа, куда все же умудрилась втиснуться, вырвалась наконец из этой жуткой квартирки на желанную свободу.

ГЛАВА 4

Всю дорогу до дома Ларису трясло мелкой, а затем и крупной дрожью. В ушах у нее до сих пор стоял крик, который настиг ее на середине лестницы. Дамочка оказалась шустрой, она быстро обнаружила, что любвеобильный Михаил мертв, и подняла тревогу. Она вопила так, что Лариса сама не помнила, как выбралась из дома.

Богдану она объяснила свое состояние огорчением от провала операции под кодовым названием «Эрнст». Муж и сам выглядел расстроенным, поэтому лишних вопросов не задавал. Поинтересовался лишь, где же юбка, за которой ходила Лариса. Но быстро удовольствовался объяснением, что юбка оказалась подшита не так, как нужно, и Лариса задержалась у портнихи, объясняя бестолковой бабе, на какую именно длину требуется укоротить юбку.

— Прямо жалею, что я обратилась к этой портнихе. Мне ее посоветовала одна моя знакомая, я послушалась, да теперь вижу, что зря.

Богдан с отсутствующим видом кивал. Он всегда впадал в странное оцепенение, когда Лариса заводила разговор о женских делах. Но сейчас Богдан не просто отключился. Оказывается, он обдумывал дальнейшие шаги.

И результатом этих раздумий стал неожиданный вопрос:

— Слушай, а у нас дома много водки?

— Хочешь напиться?

— Просто ответь мне, да или нет?

— Ну, есть полбутылки. И еще коньяк, который тебе подарили.

— Коньяк — жалко, — тут же отказался Богдан. — Надо будет в магазин заехать, водки купить. Дешевой.

— Зачем тебе водка? Да еще и дешевая?

— Хочу подружиться с экскаваторщиками, которые поселок строят.

— Зачем? Они же наши враги!

— Не преувеличивай. Эти ребята — они простые работяги. И раз уж с Эрнстом у нас не получилось решить вопрос, надо нам с тобой подстраховаться. Такая скотина, как он, на все способен. Ты же не хочешь однажды вечером вернуться домой и обнаружить, что дом наш снесен?

— А они это могут? — вздрогнула Лариса.

— По документам земля их. Наша постройка незаконна. Снесут за милую душу!

— Безобразие! И ты хочешь, чтобы рабочие не рушили наш дом? Хочешь их подкупить, чтобы они отказались от работы?

— Ну, на это они вряд ли пойдут. Люди-то они подневольные. Но предупредить, если заварушка начнется, запросто могут.

Да, в создавшейся ситуации это было неплохое решение. Если вопрос не решается в высших инстанциях, можно попытаться решить его внизу.

И супруги заехали в супермаркет, где Богдан долго и обстоятельно бродил между прилавками, выбирая водку, с одной стороны, не самую дорогую, но в то же время приличную. И главное, чтобы ее было много, потому что дружить ему предстояло с большим количеством народа и неизвестно, как долго должна была продлиться эта «дружба».

Пока муж занимался важным делом, Лариса решила ответить на телефонные звонки, которых набралось больше десятка. И среди прочих был телефон Леси, той самой подруги, которая снабдила Ларису вонючками. Собственно говоря, Леся была даже не совсем подругой, а так — хорошей приятельницей. Жила она в коттеджном поселке под названием «Чудный уголок», который был и впрямь чудным.

У Леси имелся замечательный ухоженный и уютный домик, расположенный в центре цветущего сада. И жила она там вместе со своей подругой Кирой и еще одним странным рыжим субъектом, которого обе подруги называли Лисицей.

Что за отношения были у этих троих, Лариса так и не разобралась, хотя в гостях у них бывала неоднократно. Но любовниками они не были. У каждого из троих имелась своя спальня. И сколько Лариса ни прислушивалась, ночью она никаких подозрительных шорохов, звуков или шагов не слышала. Все трое целомудренно проводили ночи в своих опочивальнях. А за завтраком тепло и дружески желали друг другу доброго утра, рассказывали о сновидениях, смеялись, шутили.

Вообще, Леся с Кирой были очень открыты и доброжелательны к людям. Не стеснялись предложить свою помощь. Поэтому именно Лесе и решила позвонить Лариса первой. Все-таки только Леся реально помогла ей, дав вонючки. То, что Лариса не сумела правильно использовать эти штуки, ценности Лесиного поступка никак не отменяло.

— Привет, дорогая. Извини, не могла тебе ответить. Сама понимаешь, занята была.

— Не извиняйся. Все понимаю. Ну как все прошло?

— Плохо, — откровенно призналась Лариса.

— Вонючки не сработали?

— Они-то сработали. Только я в их дыму заблудилась. Попала не туда... в общем, долго рассказывать.

— И что? Твой план провалился?

— Полностью.

— Компромат на Эрнста и его компанию достать не удалось?

— Ни листочка, ни строчечки!

— Как жаль! — расстроилась Леся и тут же попыталась утешить Ларису: — Но ты, главное, не огорчайся, не падай духом. Еще не все потеряно. Мы с Кирой сегодня кое-что скумекали. Вы когда дома будете?

— Наверное, через час.

— Мы приедем. Не сильно для вас поздно? Спать не будете?

— Какой там сон? Вещи паковать будем.

Лариса немножко кривила душой. Конечно, так рано поднимать лапки они с Богданом не собирались. Но ляпнув, она задумалась: «А может, действительно начать собирать вещи? Хотя бы наиболее ценные можно будет на время перевезти в более безопасное место».

Богдан ее предложение одобрил.

— Конечно, встройку и шкафы мы не упрем. Но деньги, документы, электронику можно будет вывезти из дома заранее.

Именно этим Богдан и занялся, едва прибыв в дом. Лариса умылась, переоделась и занялась гостьями. Леся прибыла, как и обещала, вместе с Кирой.

— Мы попросили Лисицу, чтобы он навел справки про этого Эрнста и его компанию по своим каналам.

— И что узнали?

— Строительной компанией, которая хочет разорить ваш дом, на самом деле владеет некий Селиванов Григорий Архипович. Эрнст — просто подставное лицо. Кстати, дом, где вы были, также принадлежит Селиванову.

— Я так и думала!

— У Селиванова есть еще несколько аналогичных сравнительно мелких компаний, которые строят недоброкачественное жилье с нарушением всех норм. Компании не соблюдают даже элементарных норм технической безопасности. Другими словами, построенные этими компаниями дома, прочные и нарядные на первый взгляд, вряд ли простоят даже двадцать лет. Вполне возможно, что проблемы у жильцов начнутся уже через пару лет после ввода домов в эксплуатацию. Имеются и другие нарушения при строительстве.

— А как-нибудь добраться до этого Селиванова возможно? Привлечь его лично к ответственности?

— Увы. Он давно отказался от российского гражданства. Устроился то ли на Кубе, то ли в

Аргентине. И умудряется оттуда дергать за ниточки всяких там подставных эрнстов.

— Почему же его не остановят? — возмутилась Лариса.

— Кто?

— Ну, суд... правоохранительные органы.

— Это не так просто.

Лариса не стала развивать эту тему. Она и сама работала в банке и прекрасно знала, как непросто бывает прищучить человека, который обладает огромными деньгами и, как следствие этого, властью над другими людьми. Вроде бы ясно, что он виноват, а всегда найдутся люди, которые станут утверждать обратное.

— Значит, ничего сделать нельзя? Селиванов недосягаем?

— Лисица навел справки о его окружении. Думал добраться до Селиванова через его жену или детей. Но тут тоже пусто. Селиванов никогда не был женат, хотя женщин вокруг него пруд пруди. Он очень охоч до женского пола, попросту развратен. В некоторых кругах у него даже есть кличка — Распутин.

Лариса почувствовала, что внезапно ей стало трудно дышать. Так вот кто ее враг! Распутин! Тот самый Григорий Распутин, о котором говорил ухоженный очкарик в подвале! Тот, который послал ее к Михаилу с запиской. К тому самому Михаилу, свидетельницей убийства которого стала Лариса.

Вспомнился Ларисе и таинственный киллер, от которого она, правда, видела лишь одну тень, но все равно цепочка прослеживалась очень неприятная и даже страшная. И хуже всего было то, что Лариса каким-то образом была задействована среди звеньев этой цепи.

Видимо, все переживания отразились на лице у Ларисы, потому что Кира первой всплеснула руками:

— Ларка, ты чего так побледнела-то? Или имя тебе знакомо?

Лариса едва нашла в себе силы, чтобы кивнуть.

— Ой, девочки, если бы вы только знали... — пролепетала она, чувствуя, как пол в комнате стремительно закружился под ее ногами. — Если бы вы только знали, во что я сегодня влипла!

И одновременно с этим признанием Лара почувствовала, как падает. Ее подхватили заботливые руки, перенесли на диван, дали воды. А потом строгий голос Киры произнес:

— Рассказывай нам все, что с тобой сегодня случилось!

И Лариса рассказала! Мужу рассказать не получилось, а вот приятельницам — очень даже запросто! Слова лились из нее сплошным потоком. Она торопилась, говорила шепотом, чтобы Богдан в соседней комнате не услышал ее жуткую исповедь. И самое странное, что Лариса была уверена, она говорит не впустую. Эти двое обязательно ей помогут.

— Вот так и получилось, что я знаю, кто такой Григорий Селиванов. Мне рассказал о нем пленник в подвале. А человек, к которому он меня послал, теперь мертв!

— Ты уверена, что он мертв?

— У него была дыра во лбу! Прямо посередке между бровей. Можно после такого выжить?

— Всякое бывает. Одному мужику вон пуля в голову попала, так он с ней еще двадцать лет прожил.

— Покойник не дышал! И когда я его тащила до кровати, не издал ни звука.

— А ты его как тащила?

— Обыкновенно. Волоком.

— Нет, я имею в виду, могли сохраниться на одежде или теле твои отпечатки?

— Я думала, что отпечатки пальцев возможно снять только с гладких поверхностей. Их я все протерла.

— Необязательно, чтобы именно отпечатки пальцев были. Для следствия сгодятся и другие улики — микрочастицы кожи, пот, волоски.

— Думаю, таких улик на Михаиле и без меня предостаточно! Соседка сказала, что бабы к нему табуном идут. Да и я сама видела сразу двоих. А пробыла у него всего с полчаса!

— Значит, тебя еще и соседка видела? Это плохо.

— Да чего плохого-то? Говорю вам, она приняла меня за одну из... из этих!

— И на лестнице ты с какой-то бабой столкнулась, — продолжала переживать Леся. — Как она догадалась, что ты к Михаилу идешь?

— Не знаю.

— Ты можешь ее вспомнить?

— Ну, могу... наверное. А зачем вам?

— В расследовании случайных вещей не бывает. Если человек засветился, надо про него выяснить по максимуму. Эта особа может стать ценной свидетельницей.

— Она была довольно молодая, — принялась вспоминать Лариса. — Выглядела лет на двадцать семь — двадцать восемь. Обеспеченная. Шелковое платье на ней было. Очень красивое. Желтое, а на нем алые маки. Может быть, чересчур яркое, но ей шло. А! Теперь я догадалась, почему она подумала, что я к Михаилу иду. На мне тоже было нарядное платье. Я ведь оделась получше, собираясь на званый ужин!

— Так ты в вечернем платье прямо к этому Михаилу и поперлась?

— А чего такого? Переодеваться мне было некогда, да и негде.

— Ты это платье лучше уничтожь, — посоветовала ей Леся.

— Да вы что! — ахнула Лариса. — Это мой лучший наряд!

— В тюрьме он тебе не пригодится.

— А почему я окажусь в тюрьме?

— Мы не говорим, что ты там обязательно окажешься. Но если тебя будут искать в связи с убийством Михаила, лучше, чтобы этого платья у тебя в гардеробе не нашлось. Уничтожь его.

— Уничтожить? Ни за что в жизни!

— Тогда спрячь.

Спрятать приметное платье Лариса согласилась. И подруги продолжили расспросы:

— А лицо встретившейся тебе на лестнице женщины ты запомнила?

— Лицо как лицо. Ухоженное. Волосы гладко зачесаны назад. Цвет не помню, кажется, каштановые или темно-русые. Не блондинка, не брюнетка и не рыжая — это точно. Глаза большие, макияж наложен умело. А! Она же мне еще кольцо обручальное показывала! Очень красивое. Думаю, что сделано на заказ. Веночек из крохотных еще не до конца распустившихся бутончиков, а в каждом цветочке по камушку.

Продолжить расспросы дальше подругам не удалось. Из соседней комнаты явился красный и запаренный Богдан, который сперва сердито покосился на припозднившихся гостий, а потом вопросительно-укоризненно посмотрел на жену:

— Может быть, ты тоже мне поможешь? Как считаешь, телевизор из спальни забрать? Хотя вещей и так набралось очень много. Боюсь, что все они в багажник не влезут, придется «Газель» заказывать.

Было ясно, что Богдан больше не уйдет. Он хотел внимания, он хотел ужина, он хотел слов утешения. Это ведь только принято считать, что мужчины — они большие и сильные. На самом деле они нуждаются в утешении и поддержке куда чаще, чем маленькие и слабые женщины.

Попрощавшись с супругами и оставив их собирать вещи, девушки отправились к себе домой. По пути каждая из них думала о новом расследовании, которое, по всей видимости, им предстояло. С собой они везли платье Ларисы, в котором она сегодня была на вечеринке у Эрнста, и ту самую записку с шифром, которой как минимум двое людей придавали столь большое значение.

— Как ты думаешь, — первой нарушила молчание Леся, — убийство Михаила может быть каким-то образом связано с тем, что произошло сегодня в доме этого Селиванова?

— Мы даже не знаем точно, был ли там этот Селиванов.

— Эрнст к нему бегал советоваться.

— Эрнст бегал к кому-то, кто сидел на втором этаже.

— А кто еще там мог быть, кроме хозяина дома?

— Да кто угодно! Этот Селиванов в стране не показывался вот уже несколько лет.

— Официально — да. Но он мог прибыть в Россию по поддельным документам. Для такого богатого человека обзавестись парой лишних паспортов труда не составит.

— И еще этот Михаил... Кто он такой?

— Эту информацию мы с тобой узнаем из базы данных ГБР без всякого труда, — отмахнулась Леся. — Спасибо Лисице, в этом у нас проблем нету.

Действительно, благодаря их рыжему и вездесущему приятелю подруги являлись обладательницами огромной базы данных. И в частности, у них имелась сведенная воедино база данных почти на всех жителей города и пригорода. Эта последняя база была личной гордостью Лисицы, его изобретением и достижением. И она содержала в себе сведения не только официального характера. Ко многим именам и фамилиям были сделаны пометки самого Лисицы, который, казалось, знал вообще всех в городе лично.

Эти самые заметки придавали базе данных особую ценность. К примеру, Бурятов Иван Сергеевич такого-то года рождения, который родился, учился и женился, имел двух детей — Костю и Василису. Первый приторговывал легкими наркотиками, найти его всегда можно в ночном клубе «Букет», а вторая в том же клубе работала стриптизершей и не брезговала оказывать щедрым клиентам услуги и более интимного характера. Имена клиентов прилагались. Сам Бурятов имел любовницу, имя и адрес которой также были известны Лисице.

Согласитесь, получить в свои руки такое полное досье на человека может быть очень важно. И сейчас подруги намеревались первым делом заглянуть в эту базу данных. Но прибыв домой, застали очень рассерженного приятеля, который встречал их в компании Фантика и Фатимы — домашних кошек подруг. Кошки тоже выглядели недовольными. И Лисица быстро объяснил, почему.

— В кои-то веки я вернулся домой с тяжелой работы пораньше, и что я наблюдаю? Тишину и запустение! Кошки некормленые, полы неметеные, каша несваренная! Я уж не говорю про пироги, их просто нет!

Подруги потупились. Кое в чем упреки Лисицы были справедливы. В последнее время хозяйственный пыл подруг как-то поугас. Кира поручила уборку наемной уборщице, а Леся стала все чаще заказывать еду в ресторанах.

— Да ладно бы только это, — продолжал кипеть от возмущения Лисица. — Разве мне пироги от вас нужны? Мне нужно, чтобы меня кто-то встречал, когда я возвращаюсь домой!

— Тебя кошки встретили, тебе мало? — огрызнулась на него Кира.

— Откуда же мы знали, что ты вернешься рано? — мягко прибавила Леся. — У нас дела были, поэтому...

Договорить ей не удалось, Лисица вскипел окончательно и целых полчаса объяснял подругам, что если он будет чувствовать себя так, как почувствовал сегодня, он долго не выдержит.

— Работаю на износ, а дома ни теплого привета, ни ласкового слова. Да что там, ужина — и того нет!

— Это мы сейчас быстро исправим!

Лисица кивнул и с мрачным горестным видом ушел в гостиную. А подруги кинулись на кухню. Кира принялась шарить по полкам, а Леся распахнула холодильник и уставилась в его недра. Так, что у них есть? Было в холодильнике до печального мало.

— Похоже, мы все съели.

— Не беда, сейчас лето, в огороде полно свежей зелени, а в саду ягод.

— Вряд ли Лисица удовлетворится малиной. Не говоря о том, что ее еще собрать комуто надо.

— Я соберу огурчиков и зелени, а ты свари макароны. Вот банка домашней тушенки, вполне сгодится для соуса в спагетти.

— Сыра нету.

— Сойдет и кинза. Сыр на ночь вредно.

— Томатной пасты — ноль.

— Принесу помидоров из парника.

В общем, совместными усилиями подругам удалось организовать ужин. Лисица был неприхотлив в еде. Конечно, он любил поужинать вкусно, а иногда и изысканно — устрицами, омарами или морскими гребешками, которые ел сырыми, макая их в смесь соевого соуса и лимонного сока. Но сегодня он с явным удовольствием слопал поданные ему спагетти, даже не вякнув по поводу тушенки вместо натурального мяса. И на десерт запросто уплел целую миску свежей малины, густо посыпанной сахарной пудрой.

— Вкуснятина! — одобрил он старания подруг. — Как у вас хоть дела-то?

— Нормально.

— Работы в офисе много.

— Лето, — лениво произнес Лисица, которого после еды потянуло в сон. — Жаркая пора для вас. Могу я вам чем-то помочь?

— Нет, нет, иди, отдыхай.

Лисица кивнул и утопал к себе в спальню. После его ухода подруги быстренько загрузили все грязные тарелки и вилки в посудомойку. И покончив таким образом с хозяйственными делами, поднялись к Кире в спальню.

Их очень заинтересовала личность убитого на глазах у Ларисы мужчины по имени Михаил. Правда, они не знали его фамилии, но это только пока. Ведь им были известны его имя и адрес, по которому он проживал. А это, как уже говорилось, было больше чем достаточно, чтобы узнать и остальное.

Но, к удивлению подруг, на экране высветилась лишь фамилия с именем и отчеством и дата рождения. Добряков Михаил Сергеевич, 1963 года рождения. Ничего о том, какую специальность имел этот Добряков, где работал, с кем состоял в родственных отношениях. Ничего. Только год рождения и фамилия.

Такая скудная информация могла говорить о том, что человек этот Лисицу чем-то заинтересовал. И все сведения о нем хитрый Лисица занес в особую базу данных, куда подругам доступа пока что не давал.

С самого начала Лисица не стал темнить и скрывать от подруг, что подарок им делает с оговоркой. И оговорка была следующей:

— Сразу же предупреждаю вас, тут в базе данных информация не на всех жителей нашего города и пригорода. Есть люди, о которых вам знать рано да и совсем не нужно.

И похоже, Михаил Добряков был одним из таких граждан.

— Лариса говорила, что Михаил отзывался о Селиванове как о своем родственнике. Может, в этом причина скудости информации.

— И кто он ему?

Но ответа на этот вопрос база данных Лисицы дать не могла. Ведь и про Селиванова подругам удалось выжать лишь самую краткую информацию. Имя и зарегистрированная законным порядком недвижимость. Дом на берегу Невы был в числе оной.

— Очень скудная информация. Просто очень. С такой нечего и думать работать.

— Может быть, обратимся к Лисице? Он ведь говорил, что у него есть расширенная база.

Однако когда подруги заглянули к Лисице, они обнаружили приятеля сладко храпящим на кровати. Будить его было бы неразумно. Вряд ли разбуженный Лисица захотел бы им помогать.

В лучшем случае он просто выставил бы надоед прочь. А в худшем еще и наорал бы на них. Лисица страшно не любил, когда его беспокоят.

К тому же подруги заметили, что обе кошки устроились на ночь рядом с Лисицей. Фантик дремал у него в ногах, а Фатима свернулась калачиком возле живота. Наличие в кровати Лисицы сразу двух кошек говорило о том, что настроение у Лисицы не сильно улучшилось даже после поданного ему ужина. И кошки остались с ним в качестве живой психотерапии.

— Подкараулим его утром, — решила Кира.

Но и утром Лисица ничем не порадовал подруг. Он слетел вниз только в половине одиннадцатого, причем рубашка на нем была застегнута только на одну пуговицу, носки отсутствовали, а брюки Лисица застегивал на ходу.

— Я проспал! — с дико вытаращенными глазами сообщил он подругам, после чего в два глотка осушил чашку кофе, которую Леся заботливо приготовила для себя, и был таков!

Девушки даже не успели его ни о чем спросить. Да и что толку спрашивать, если ясно, что Лисице все равно некогда?

— Поговорим с ним вечером.

— Тогда надо хотя бы приготовить ужин. Если мы и сегодня подадим ему макароны с тушенкой и ранней зеленью с огорода, Лисица вряд ли захочет нам помогать.

Но для приготовления изысканного ужина еще надо было купить продукты. А на это тоже требовалось время. И еще подругам сегодня было нужно поработать на самих себя. В офисе скопилось множество дел. Как известно, в любой туристической компании летом бывает жарко. Не являлось исключением и любимое детище подруг — «Орион».

В общем, дел у девушек было много. Офис, вечером ужин для Лисицы и расследование. И все-таки именно его подруги ставили на первое место. Они не забывали про обещание, которое дали вчера Ларисе. Расследовать обстоятельства того дела, в которое она угодила.

— Беспокоит меня это убийство.

— И меня тоже. Кому-то из нас прямо сегодня надо поехать к этому Добрякову домой и попытаться разузнать там у соседей, что и как.

Ехать выпало Кире. Во-первых, она лучше управлялась с машиной, а во-вторых, в разговоре с соседями нужна определенная доля нахальства. Ведь не так-то и просто позвонить в дверь к незнакомым людям и заявить им, что хочешь поговорить об их соседе.

Кира забросила подругу в офис, убедилась, что ничего сверхсрочного ее на работе не поджидает, и тут же смылась.

ГЛАВА 5

Возле дома Михаила все было тихо и мирно. Кира беспрепятственно вошла в подъезд, воспользовавшись тем, что жильцам с первого этажа как раз в этот момент доставили новенький, в упаковке холодильник. И дверь в подъезд стояла раскрытая настежь, чтобы через нее могли пройти грузчики.

Следом за ними Кира начала медленно подниматься по лестнице. Никакого особого плана у нее не было. Сыщица рассчитывала на то, что труп Михаила уже обнаружен, и соседи должны сами захотеть пообщаться с ней на такую трепетную тему. Но ее планам был с самого начала нанесен сокрушительный удар.

На лестничной площадке Михаила имелось всего две квартиры. Его самого и его соседей, из которых никого не было дома. Кира долго стучала и звонила в их дверь, прежде чем окончательно убедиться, что в квартире никого нету.

— Вот ведь не повезло!

Пока Кира размышляла, куда ей идти теперь — наверх или вниз, на лестнице раздались легкие шаги. И спустя несколько минут показалась довольно молодая ухоженная дама. При виде Киры она нисколько не смутилась, а лишь слегка нахмурилась.

— Ты уходишь или только пришла?

— Только пришла.

— Странно, — еще больше нахмурилась женщина. — На сколько же он тебе назначил?

— А тебе-то что?

— Просто сейчас мое время, — пожала плечами незнакомка. — Перепутал он, что ли? Ну да ладно, сейчас разберемся.

И она начала звонить в дверь. Кира за это время успела хорошенько разглядеть женщину и сделать для себя несколько выводов относительно нее. Во-первых, она была явно не в курсе насчет случившегося с Михаилом. Во-вторых, она хорошо его знала. И наконец, в-третьих, но не в-последних, на безымянном пальце правой руки Кире удалось разглядеть красивое кольцо в форме венка из розочек.

При виде этого последнего открытия сердце сыщицы сделало сильный скачок. Какое везение! Недаром говорят, на ловца и зверь бежит. Похоже, это та самая женщина, с которой вчера столкнулась на лестнице Лариса!

— Не открывает, — растерянно произнесла между тем незнакомка. — Что с ним такое?

— Может быть, позвонить ему на телефон?

— Да, хорошая идея.

— Только я не могу. У меня аккумулятор сдох.

Незнакомка отмахнулась и вытащила из лаковой сумочки красивенький беленький мобильник. Приложив его к своему маленькому розовому ушку, напоминающему перламутровую раковину, она сосредоточенно нахмурила тонкие бровки.

— Миша? — наконец спросила она. — Нет? А... А кто вы? Да, понятно. А где же Миша?

После этого незнакомка только слушала, причем глаза ее расширялись все больше и больше, а хорошенькое миловидное личико бледнело. Наконец оно почти сравнялось по цвету с телефоном. И Кира поняла, что сейчас наступит кризис. Так оно и получилось. Пластмассовая коробочка выскользнула из рук незнакомки. Кира едва успела подхватить мобильник, не дав ему упасть на каменную плитку пола и разбиться насмерть.

Но спасая электронику, Кира едва не проворонила человеческую жизнь. Сраженная услышанной новостью, незнакомка была в полубессознательном состоянии. Она привалилась к ограждающим лестничные пролеты ажурным перилам, которые были опасно низкими. Женщина уже начала перегибаться вниз, когда Кира схватила ее и втянула назад.

— Уф! Да вы чуть не свалились! Что там вы такого услышали? Убили, что ли, его?

Незнакомка вскинула на Киру глаза странного отливающего сиреневым цвета.

— Убили, — прошептала она. — Мишу убили. Я только что разговаривала со следователем. Он сказал, что мне лучше подъехать к ним, чтобы дать объяснения по поводу того, как и когда я познакомилась с Михаилом. И еще он намекнул, что будет лучше, если я предъявлю свое алиби. Дескать, всех знакомых Михаила будут опрашивать на предмет алиби.

— Алиби? А оно у вас есть?

— Нет, откуда? И потом... я даже не знаю, когда его убили!

Действительно, это Кира благодаря Ларисе была хорошо осведомлена. А эта женщина покинула квартиру Михаила раньше, чем того убили.

И Кира предложила выход:

— О времени убийства можно спросить у соседей. Они должны знать.

— Да, давайте спросим.

Женщины спустились вниз на один этаж и уже без колебаний позвонили в дверь. Никто им не открыл, но из-за двери раздался мужской голос:

— Кто там?

— Мы из полиции. Можно вас спросить, вы были дома, когда вчера в вашем подъезде произошло убийство?

— Ваши ко мне уже заглядывали, — ответил все тот же нелюбезный мужской голос из-за двери. — И я сказал им, что вернулся только ночью. Имею билет, который, к счастью для самого себя, сохранил. Вчера в половине десятого вечера я был в самолете, который находился между Лос-Анджелесом и Москвой! Вам ясно? Я к убийству не могу быть причастен. Оставьте меня в покое!

— Да, спасибо и извините.

Мужчина в ответ только чертыхнулся. Кира взглянула на незнакомку и убедилась, что та снова близка к обмороку. Кира вовремя подскочила к ней, чтобы успеть прислонить страдалицу к стенке.

— Что с вами такое?

— Половина десятого... — пролепетала та. — Я как раз возвращалась домой. Одна. Никого по дороге не встретила. Мужа дома тоже не было. Он уехал в деловую поездку. Вернется не раньше следующей недели. О господи! Выходит, у меня нету алиби!

Женщина казалась ужасно напуганной. Кире даже стало ее жалко, и она попыталась утешить незнакомку:

— У меня, к примеру, тоже нету алиби. Так что с того? Я же не падаю в обморок.

— Но вы-то не звонили в полицию! А я звонила. И следователь сказал, что мой номер у них высветился. Теперь, даже если я попытаюсь скрыться, будет только хуже! Они смогут меня найти в любое время.

— Слушайте, — Кира старалась говорить как можно более убедительно и проникновенно, —

давайте заключим сделку. Я помогу вам, а вы поможете мне.

— Как это?

— Я пойду с вами к следователю и скажу ему, что мы с вами вчера в девять вечера встречались по поводу тура на Бали. Долго обсуждали условия поездки. Вы ушли от меня только в десять. Дело в том, что я имею маленький туристический бизнес. Вы запросто могли подъехать ко мне, чтобы обсудить условия покупки и сделать выбор относительно отеля.

— Но сотрудники вашей фирмы...

— В половине десятого или даже в десять уже никого нет. А вообще... скажем, что встретились в кафе. Например, в «Чай-кофе». Это небольшое бистро, которое находится в двух шагах от нашего офиса. Я там часто ужинаю. У них жуткая толкучка и к тому же самообслуживание. Проверить, были мы там или нет, невозможно.

— Да, это уже лучше, — начала оживать незнакомка. — Значит, у меня будет алиби?

— Я вам его обеспечу.

— Но почему вы это делаете для меня?

— Помогаю вам небескорыстно. В обмен вы расскажете мне все, что знаете про Михаила.

— Но я... я не понимаю.

— Скажите, вам ведь нужно алиби? — вкрадчиво поинтересовалась у нее Кира.

— Да. Нужно.

— Ну вот... А мне нужна информация о Михаиле. Как он жил? С кем общался?

— Теперь я поняла, — прошептала незнакомка. — Вас прислали они!

— Кто?

— Те люди, которых Миша очень ждал. Адвокаты!

Кира молча смотрела на женщину, ожидая, что та скажет ей еще что-нибудь интересное. Но та лишь обхватила себя руками за плечи и пробормотала:

— Только я не понимаю, почему так поздно? Ведь Миша мертв? Какой теперь во всем этом смысл?

— Слушайте, давайте вопросы буду задавать я сама. Договорились?

Незнакомка кивнула. Она казалась сильно подавленной, и Кире не хотелось сразу же еще больше давить на свидетельницу. Однако эта фраза про адвоката, которого якобы ждал покойный, заставила ее еще сильнее вцепиться в женщину.

— В каком часу у вас назначена встреча со следователем?

— Он сказал, что мне надо подъехать к нему до четырех. Он будет меня ждать.

— Времени еще достаточно. Пойдемте посидим в кафе.

Предложение пришлось незнакомке по душе.

— Это придаст нашему с вами алиби подобие достоверности. Все-таки в кафе мы с вами были, хоть и не в том и не в то время.

Глаза у незнакомки повеселели, а пугающая бледность покинула ее щеки. Поняв, что у нее есть шанс избежать серьезных неприятностей, она была готова вновь радоваться жизни. Правда, к Кире она по-прежнему обращалась на «вы».

Утро Ларисы с мужем прошло в хлопотах. Они грузили отобранные за ночь вещи, которые казались им наиболее ценными, и развозили по родным, которые были в курсе их проблем и полностью одобряли намерение сохранить хоть что-то.

— А что, если продать ваш домик? Выставить, к примеру, на торги и отдать с большой скидкой? Или даже за половину его цены?

— Мама, как ты себе это представляешь?

— Да не успеют они, — вступил в диалог и отец. — Документы на регистрацию сделки месяцами лежат. Не успеть им.

— Жаль. Хоть что-то бы выручили.

— Мама, папа! — возмутилась Лариса. — Вы что такое мне предлагаете? Подставить других людей под удар? Продать людям дом, который не сегодня, так завтра уже снесут?

— В самом деле, Люда, что за глупость ты предложила? Дом наверняка под судебным обременением. В таком случае сделку не зарегистрируют. Так ведь, дочка? Ты это хотела сказать? Мать у тебя — дура неграмотная, хорошо, что батька еще чего-то соображает.

Лариса только рукой махнула. Родители слишком обеспокоены их с Богданом бедой, чтобы рассуждать здраво. Иначе бы они и сами поняли, как подло и низко то, что они предлагают. И дело тут вовсе не в затруднениях с регистрацией сделки. Отвратительно продавать другим людям дом, который будет вскоре уничтожен. Нет, не станут Лариса с Богданом сваливать свои проблемы на чужие плечи.

— А где твоя сережка? — внезапно услышала Лариса голос матери.

Машинально она схватилась за уши и поняла, что в левом ухе серьги нету.

— Потеряла? — огорчилась мама. — Ну вот, еще и это!

— Доченька, это ведь твоей бабушки серьги. Дорогие, фамильные.

— Говорила, не надо дарить их девчонке.

И где справедливость? Серьги были подарены Ларисе на ее шестнадцатилетие. И тогда, будучи глупой девчонкой, она их не теряла. А потеряла лишь сейчас, уже став взрослой, рассудительной и замужней женщиной.

— Мама, ничего я не потеряла. Что ты меня пугаешь? Я отдала сережку в ремонт. Там замочек стал слабым.

— Хорошему хоть мастеру отдала? В серьгах изумруды натуральные. Твой дедушка их еще с Кубы привез. Не какая-нибудь подделка. Настоящие камни, они дорого стоят!

Лариса только вздохнула. Разве можно сравнить потерянную сережку, пусть даже и привезенную дедом с Кубы, с той потерей, которая ждет ее в ближайшее время. Просто невозможно сравнивать эти две вещи!

И все-таки слова матери зацепили Ларису за живое. Уже уйдя от родителей, она пыталась провернуть в памяти события вчерашнего дня. Где и когда она могла потерять сережку? Когда отправлялась в гости к Эрнсту, серьги были на ней. Лариса точно это помнила, потому что придирчиво рассматривала себя в зеркале, проверяя, все ли в порядке.

Потом после бегства серьга тоже красовалась в мочке уха. Лариса вытирала растекшийся грим с лица влажной салфеткой и заметила бы, если бы серьга потерялась. А вот потом?.. Где она могла ее оставить? Дома в душе? Когда собирала впопыхах вещи и таскала тяжелые сумки к выходу? Или где-то еще?

И тут Ларису словно обухом по голове ударило. Она вспомнила, где произошло с ней это несчастье. Лариса не солгала матери, говоря, что замочек на сережке ослабел и давно нуждался в ремонте. Он открывался, когда этого совсем не требовалось. И Лариса в ужасе поняла, что произошло с сережкой.

Удирая из квартиры Михаила, она спряталась в тесно забитом одеждой шкафу. И когда уже выскакивала из него, то почувствовала, как что-то потянулось за ней, а потом соскользнуло и вроде бы тихонько звякнуло. Но в том состоянии, в каком была Лариса, оглядываться назад она не стала. Но теперь девушка понимала, что произошло. Сережка зацепилась за какую-то ткань или одежду, в изобилии висящую в шкафу, и выскользнула из мочки уха Ларисы, оставшись на месте преступления.

— Я потеряла свою сережку в квартире Михаила! Оставила рядом с его трупом!

И когда Лариса произнесла вслух эти слова, ей стало так страшно, как никогда еще не было.

За какие-то полчаса-час Кира успела совершенно расположить к себе Анастасию, так звали незнакомку со странными сиреневыми глазами. Она была женой преуспевающего бизнесмена, нигде не работала и, как многие бездельничающие женщины, была подвержена приступам скуки и хандры.

— И однажды, когда мне было совсем тошно, на глаза попалось Мишино объявление.

Объявление было помещено на страницах модного глянцевого журнала. И оно обещало всем состоявшимся и зрелым женщинам открыть путь в новый, захватывающий мир.

— Разумеется, мне стало любопытно. Я подговорила одну мою подругу, и мы пошли.

Михаил встретил их приветливо. Напоил удивительно ароматным травяным чаем, рассказал о своих путешествиях в Непал, Индию, Тибет. Показал фотографии, фильмы.

— Так Михаил был путешественником?

— Да. Вместе с его отцом они объездили чуть ли не весь мир. Отец брал с собой Мишу с четырнадцати лет. Они были в Китае, Бирме, на островках Индонезии, Филиппинах. Побывали во всей Малайзии. Удивительно интересно живут некоторые люди!

Михаил рассказывал о своих странствиях увлеченно, но подчеркивал, что его во всех путешествиях интересовало то, что он называл «чистой силой».

— В каждом человеке скрыты нереализованные им возможности. Левитация, чтение мыслей, телепортация, даже путешествия во времени — это все возможно! Но только надо уметь. Знания, как это делать, имелись у древних цивилизаций. Всего на Земле их было пять. Великаны, карлики, титаны, атланты и теперь люди. Но люди пока что не обладают секретами древних, они скрыты от них. И лишь избранные владеют этим знанием и этой силой. Частично Михаил тоже смог овладеть этой силой. Но он избрал для себя путь просветления тех, кто рядом.

В общем, учение Михаила заключалось в некоей магической смеси обрывков полученных им в экспедициях знаний, собственного обаяния и странной сексуальности, которая будоражила женские чувства. Впрочем, действовала она далеко не на всех женщин.

Некоторые считали Михаила отвратительным уродом, волосатым чудовищем, и в общем-то, они были правы. Но встречались и такие дамочки, которым запах зверя, исходивший от Михаила, казался воплощением дикой первобытной силы. Эти женщины буквально захлебывались от избытка чувств в руках своего гуру.

Михаил отбирал из претенденток некоторое число женщин, с которыми и начинал работать, помогая им открыть собственное глубинное и потаенное «Я».

— Без этого невозможно овладеть знанием и силой. Сначала надо раскрыться, понять свою глубинную сущность, понять силы, которыми обладаешь.

— И Михаил вас этому обучал?

— Да.

— А каким образом?

— Через секс, — не моргнув глазом пояснила Анастасия. — Да, и не смотрите на меня так. Сексуальная энергия — это одна из мощнейших энергий, которая пронизывает весь наш мир. Это древнейшая сила, существовавшая еще на заре человечества. Самая древняя из всех, которые только возможно себе представить. Понимаете теперь ее силу?

По словам Ларисы, покойный был чуть привлекательнее самца обезьяны. Но, видимо, на вкус и цвет товарища нет. То, что Ларисе показалось в Михаиле отталкивающим и даже отвратительным, другой женщиной было воспринято как своеобразная животная мощь и кладезь древней силы.

Но Киру во всем этом интересовали вполне конкретные сведения, и она спросила:

— Значит, вы с Михаилом были любовниками?

— Он был моим учителем, а я его ученицей, — смиренно отвечала Анастасия.

— А ваш муж знал об этом?

— Нет! У меня хватило ума не открываться этому недалекому человеку. Он бы просто не понял!

Конечно, трудно понять, если у тебя на голове выросли кустистые рога, а жена даже и не думает этого стесняться.

— А сколько всего учениц было у... у Михаила?

— Лично я была знакома еще с двумя.

— Ваша подруга, с которой вы приходили, из их числа?

— Нет, во второй раз Михаил пригласил только меня.

— А вы ей сказали, что идете к нему?

— Нет. Но мне кажется, она о чем-то догадалась. Пару раз она, словно бы между делом, проронила, что я очень сильно изменилась, расцвела. И еще пошутила, мол, все, как обещал тот колдун. Уж не сходила ли ты к нему, часом?

— И что вы ответили?

— Перевела разговор в шутку. Но мне кажется, она мне не поверила.

— Так, имя и адрес подруги. И телефон, пожалуйста.

— Зачем вам телефон Кати?

— Затем, что она могла вам позавидовать.

— И что?

— А из зависти люди подчас делают самые невероятные гадости. Ваша Катя запросто могла отправиться к вашему мужу и донести на вас.

— И... И что?

Кира решила не церемониться и спросила у Насти прямо:

— Как вы считаете, ваш муж способен выстрелить в человека? В того, кого он считает вашим любовником?

— Нет! Что вы! Саша очень мягкий человек. У нас с ним прекрасные отношения. К тому же после того, как я познакомилась с Михаилом и начала посещать его занятия, наша сексуальная жизнь тоже наладилась. Нельзя сказать, что она стала бурной, но все-таки вполне сносной. Саша теперь всегда доволен. Если бы он что-то начал подозревать, я бы заметила.

— Но оружием он владеет? Ружьем? Пистолетом?

— Саша ездит на охоту с друзьями.

— Значит, оружие у него имеется?

— Карабин.

Эх, жаль Кира не могла знать, из какого именно оружия был застрелен Михаил! А вдруг как раз из карабина? Впрочем, глупо тащиться на дело со своим охотничьим ружьем. Слишком легко вычислить его владельца. Нет, даже если муж Анастасии и решился мстить, то он должен был воспользоваться другим оружием.

— И потом, почему вы думаете именно на моего мужа? Его вообще в городе нету, он уехал по делам в Воркуту. А у Михаила было много других учениц. И некоторые из них тоже были замужем.

Да, других тоже нельзя было сбрасывать со счетов. Чего это Кира прицепилась именно к мужу Насти? Небось имелись и другие мужья, которые могли захотеть отомстить Михаилу!

— Вы говорили, что знакомы с двумя другими ученицами Михаила.

— Не знакома, но я их видела у Михаила. Знаю, как их зовут.

— А их телефоны у вас есть? Вы знаете, как их найти?

— Как найти Аню, я не знаю. А вот Галочка рассказывала, что работает в ресторане. Кажется, когда она только пришла к Михаилу, то была простой официанткой, хотя и с амбициями и даже с дипломом. Но на должность администратора хотели назначить другую девушку. Насколько я знаю, Галочке удалось перепрыгнуть через голову этой девушки, сразу же заняв кресло директора.

— И как такое возможно?

— Галя поверила в свои силы, поверила в себя. Михаил помог ей высвободить свое «Я», свою прекрасную и сильную сущность, а дальше уже окружающие сами оценили новую Галину. Кресло директора — это было самое меньшее, что она могла получить. Но ей и этого достаточно, она довольна.

— Но... но как?

— Очень просто. Галочка вышла замуж за хозяина заведения. Оп-ля и в дамки!

И щелкнув пальцами, Анастасия весело рассмеялась. Выпитый коньяк и съеденный десерт помогли поднять ее настроение.

— Известие о смерти Михаила поразило меня, — призналась она Кире. — Но сейчас я уже немного пришла в себя. Я помню все его уроки. Все будет хорошо.

Кира молча наблюдала за Настей. В голове у нее бродили разные мысли. Когда молодая женщина увидела Киру, то сразу же приняла ее за адвоката. Интересно, какого адвоката ждал убитый?

Откашлявшись, Кира произнесла:

— Мои коллеги приходили к Михаилу, но взаимопонимания с ним не достигли. Вы знаете подробности этого дела?

— Какого дела? Мне Миша сказал только то, что к нему приходил адвокат. Какое-то дело о наследстве. Я толком не поняла, да не особо и расспрашивала. Наверное, кто-то из родственников собирался завещать Мише свое имущество. Или уже завещал. Мне до этого не было никакого дела.

— А подробнее?

Увы, подробнее Настя ничего рассказать не могла. Она была в прекрасном настроении, чем сильно злила Киру.

— Я вижу, вы ничего не боитесь.

— Я не сделала ничего плохого, мой муж не убивал Михаила.

— В этом еще будет разбираться следствие, — мстительно произнесла Кира. — А сейчас говорите название ресторана, где трудится эта ваша замужняя Галочка. Кстати, догадываюсь, что ее визиты к Михаилу и после замужества тоже не прекратились?

Кира оказалась права. И таким образом, она имела сразу двух крепких подозреваемых на роль убийцы Михаила. Мужья дамочек — вместе или порознь могли узнать о шалостях своих женушек. И каково поведение мужа, узнавшего о полученном украшении? В цивилизованной Европе супруги обсуждают раздел имущества и мирно расстаются. В Америке долго и нудно посещают психоаналитика, пытаясь спасти свой брак, а затем тоже разводятся.

Ну а в России развод частенько предвосхищает крупный мордобой. И хорошо, если дело заканчивается выбитыми зубами или сломанными костями. Может ведь случиться беда и пострашней. Все-таки мы находимся между Европой и Азией. А в Азии за прелюбодеяние наказывают очень строго, вплоть до смертной казни.

Анастасия написала название ресторана, где можно было найти Галю.

— Надеюсь, что я вспомнила название правильно.

— Я тоже на это надеюсь, — кивнула Кира. — Потому что в противном случае ваше алиби может затрещать по швам.

— О, нет! — испугалась Настя. — Я постараюсь объяснить вам получше. Ресторан находится у станции метро «Лесная». Такое красивое здание, выстроенное в восточном стиле. Внутри ковры и восточная роскошь. Перед ним фонтаны и причудливая ограда. Он там один такой! Вы просто не сможете ошибиться.

Перед приходом к следователю Кира обсудила с Настей, как лучше объяснить, почему у нее имелся номер телефона Михаила.

— Врать о том, что вы никогда к нему не приходили, глупо. Вас могли видеть и даже наверняка видели его соседи. Они вас легко опознают.

— Да, я бывала у Миши часто. И с его соседями тоже встречалась. С некоторыми даже здоровалась.

— Вот видите. Значит, надо признаться следователю, что вы ходили к Михаилу.

— А вдруг следователь расскажет об этом мужу?

— Не расскажет, если только ваш муж не убийца.

— Он не убивал!

Спорить с ней смысла не было. Но про себя Кира подумала, что ревнивый муж мог для грязной работы и нанять кого-нибудь. А из города уехал специально, чтобы алиби себе обеспечить. Но версию ревнивого мужа надо было еще проработать.

Кира взглянула на часы. Они провели в кафе уже больше часа. Пора было ехать в полицию, давать показания.

Вызвавший к себе Настю следователь оказался симпатичным худощавым мужчиной лет сорока пяти, с умными и проницательными глазами. Кира сразу же поняла, что с ним надо держать ухо востро. Этот человек способен учуять ложь, как хорошая ищейка чует след.

Поэтому Кира вперед не лезла. Хорошо помнила слова Лисицы о том, что врун чаще всего выдает себя своей неуемной болтовней. Завравшись, легко попасться на какой-нибудь мелочи. И Кира скромно помалкивала, на вопросы отвечала лаконично. И больше слушала, надеясь, что следователь с мужественной фамилией Смелый сделает хоть какой-то намек на то, кого следственные органы подозревают в убийстве Михаила.

Узнав, что у Насти неоспоримое алиби, следователь ничуть не потерял к ней интереса.

— Но вы ведь были хорошо знакомы с покойным? Опишите нам его образ жизни, привычки, знакомых!

Настя покачала головой:

— Общалась с Михаилом исключительно по делу. Он давал мне уроки восточной философии. Ни с кем из его знакомых я не общалась и не встречалась.

— Говорят, на квартире у покойного часто видели молодых женщин.

— Михаил предпочитал брать в ученики женщин.

— Почему?

— Как мужчине ему было приятнее видеть вокруг себя красивые женские лица.

Откровенность Насти обескуражила следователя. Он явно настроился на то, что Настя будет увиливать.

— Не буду ходить вокруг да около, сразу же спрошу, вы с покойным были любовниками?

— Да. Это была необходимая составляющая наших с ним занятий.

— И другие женщины...

— Да. Они тоже были его любовницами.

— И никто не ревновал?

— Михаил был нашим учителем. Он для каждой находил время.

— Значит, вы все восхищались своим учителем, часто к нему ходили? Скажите, вы могли видеть кого-то из других его учениц?

— Почему вы спрашиваете об этом?

— Видите ли, мы нашли в квартире покойного женскую серьгу. Она прицепилась к шерстяной ткани демисезонного пальто. Правда, оно висело в шкафу, поэтому мы не вполне уверены, что эта вещь принадлежала кому-то из учениц убитого. Но вдруг... Не могли бы вы на нее взглянуть?

Настя пожала плечами:

— Почему бы и нет?

Следователь извлек из сейфа прозрачный пакетик, и из него выпала сережка. Кира невольно сделала шаг ближе, чтобы тоже рассмотреть серьгу. Следователь ей в этом не препятствовал. Он внимательно наблюдал за выражением лица Анастасии.

Кира же ощутила смутную тревогу уже в тот момент, когда увидела эту маленькую сережку с зеленым камешком. Где она могла ее видеть?

Мысли в голове у Киры не успели сформироваться, как Настя уже произнесла:

— А вы знаете, мне кажется, я действительно видела эту вещицу. Определенно видела!

— Когда? На ком?

— Вчера, когда я уходила от Михаила, к нему как раз поднималась новенькая... м-м-м... ученица.

— Почему вы поняли, что это новенькая?

— Она заметно волновалась. Всматривалась в номера квартир, не знала, где находится нужная ей. И к тому же в руках она сжимала бумажку, я подумала, что там у нее записан адрес.

— Вот как... Вы с ней разговорились?

— Я ее остановила.

— Зачем?

— Хотелось подбодрить бедняжку. Она была такой бледной, встревоженной и... я бы даже сказала, несчастной и испуганной.

— И вы считаете, что эта серьга принадлежала ей?

— Да. Я еще подумала, что до чего же это безвкусно — надевать изумрудные серьги под платье цвета абрикоса. К нему бы больше подошел авантюрин или топаз. Или же аметист.

— Как выглядела женщина, помните?

Настя кивнула и удивительно детально описала внешность Ларисы! Ее вечернее платье. Ее прическу. И серьги тоже описала. Не одна Лариса запомнила кольцо Насти. Оказывается, Настя тоже обратила внимание на ювелирку в ушах у незнакомки, которую она приняла за новенькую ученицу Михаила.

— Волосы каштановые, глаза серо-голубые. Нос прямой.

Кира слушала Настю, внутренне холодея. Это были приметы Ларисы. Сыщица впилась в Настю взглядом, гипнотизируя ее. Закрой рот! Молчи! Ради бога, молчи!

Но Настя ничего не почувствовала и невозмутимо закончила свое описание такими словами:

— И еще на улице эту женщину ждал мужчина.

— Откуда вы знаете?

— Он стоял возле машины, дверь в салон была открыта. И проходя мимо, я заметила на переднем пассажирском сиденье шаль.

— Шаль? — недоуменно переспросил следователь. — Ну и что... что шаль?

— Эта шаль была явно в комплекте с платьем, в котором я видела ту женщину в изумрудах, — снисходительно пояснила ему Настя и добавила: — Наверное, они возвращались откуда-то со званого вечера, который пошел не так, как нужно. Эта женщина была очень расстроена, она явно нуждалась в поддержке и ободрении Миши. Вот и заехала к нему.

Оставалось только удивляться, как точно подметила Настя настроение Ларисы. Вечер у той действительно прошел шиворот-навыворот, и она очень нуждалась и в поддержке, и ободрении. Только не Миши, про которого на тот момент знала лишь то, что должна передать ему записку.

Следователь внимательно выслушал Настю.

— Марку машины запомнили? Номер? Цвет?

Кира уставилась на Настю. Если вспомнит, то все! Ларису и Богдана задержат уже сегодня! И тогда эти двое могут не беспокоиться о крыше над головой. На ближайшие годы крышу им предоставит государство, причем совсем бесплатно.

Но к великому облегчению сыщицы, Настя лишь подняла бровки и безразлично ответила:

— Какая-то такая... темная...

— Темная? — простонал следователь. — И... и это все, что вы можете сказать?

— Да. Я не фанатею от машин. Платье и драгоценности на этой женщине я заметила. А машина ее мужчины меня не заинтересовала. Не самая дешевая, но и не экстра-класса. Думаю, «Форд» или «Опель». Не знаю. Я не разбираюсь в машинах.

— Но хотя бы седан или хетчбэк?

Ответом ему был удивленный взгляд Насти, которая глядела на следователя так, словно впервые слышала эти названия.

Оставив надежду выяснить у свидетельницы марку машины, следователь сосредоточил усилия на внешности подозреваемой преступницы.

— Вас не затруднит пройти со мной в соседний кабинет?

— Зачем?

— Мы составим по вашим словам фоторобот.

— Хорошо, — живо поднялась Настя. — Это я могу.

Теперь, когда все подозрения с нее лично были сняты, она вновь обрела былую уверенность в себе. Она лишь кивнула Кире напоследок и, царственно выпрямив спину, уплыла следом за следователем.

— Вас я тоже больше не задерживаю, — обернувшись к Кире, произнес Смелый.

Кире не оставалось ничего другого, как попрощаться с этими двумя и отправиться дальше по своим делам.

ГЛАВА 6

На улицу Кира вышла в самом скверном настроении, какое только можно себе вообразить.

— Вот и делай после этого добро людям! Не вздумай я помогать Насте, не обеспечь я ее алиби, она бы запросто могла пойти по графе «подозреваемая». Про Ларису бы она даже и заикнуться не успела. А теперь что? А теперь все усилия следствия сосредоточатся на поиске Ларисы. И стоит этому Смелому один раз ее увидеть — все! Можно смело предсказывать, он потащит Ларису на очную ставку с Настей. И Богдана тоже. И его машину!

Но немного подумав и разложив все мысли по полочкам, Кира несколько успокоилась. Пока что у Смелого были только приметы Ларисы, но не было ее самой. И самое главное, он и понятия не имел, где ему искать подозреваемую.

И все же Ларисе надо было замаскироваться. Кира позвонила ей и делано безразличным тоном поинтересовалась:

— Девушка, вы сережку, случаем, не теряли?

— Ой, ты уже знаешь? Да, потеряла. И главное, не знаю где.

— Не волнуйся, ее уже нашли.

— Кто?

— Сама-то не догадываешься?

После этого в трубке возникло продолжительное молчание.

— Неужели я все-таки забыла ее... там?

— Не телефонный разговор, — перебила ее Кира и посоветовала: — Но внешность ты лучше измени сегодня же.

— Каким образом?

— Прическу смени. Темные очки надень. Думаю, что этого пока будет достаточно.

Лариса пообещала, что сделает все, как ей велено. И робко спросила:

— Есть какие-нибудь новости о... ну, ты понимаешь?

— Работаем, — коротко ответила Кира, чтобы не смущать Ларису отсутствием хороших новостей.

Но Лариса все поняла сама и вздохнула:

— Мы отвезли вещи к моим родителям. После работы Богдан поедет к строителям, начнет с ними «активно дружить».

Закончив разговор с Ларисой, Кира задумалась. Куда ей податься дальше? Следователь не скрыл от свидетельниц, что по делу об убийстве Михаила они главным образом рассматривают версию личного мотива у преступника, а в частности — ревность.

— Покойного посещало множество молодых женщин. У этих женщин могли быть мужчины, которым такие визиты очень не нравились. Один из них смириться или простить не захотел. Раздобыл оружие — и бац! Пристрелил того, кого считал любовником своей жены.

Но мысли Киры прервал звонок Леси.

— У нас в офисе полный аврал, — тихим голосом произнесла подруга. — Я тебе сегодня не помощница. Справишься сама?

— Да. Пока ничего особенного узнать не удалось. Смотаюсь в пару мест, может быть, там повезет.

— И еще надо купить продуктов для ужина. Помнишь, мы хотели порадовать Лисицу?

Честно говоря, Кира об этом уже совершенно забыла, но не призналась.

— Разумеется, помню. Продиктуешь мне список продуктов? Я заскочу в супермаркет и куплю все необходимое.

— Не могу, — сдавленно отозвалась Леся. — Купи что-нибудь на свой вкус.

Поняв, что в офисе действительно полный завал, Кира не стала настаивать. Ее подруга никогда бы добровольно не отказалась составить список покупок. Это было ее тайное увлечение, которому она предавалась с огромным удовольствием. И раз уж Леся не могла предаться своему хобби, значит, у нее и впрямь не было ни единой свободной секундочки.

Кира подумала немного и решила, что корм для Лисицы можно будет приобрести и позднее. По дороге домой она заскочит в какой-нибудь магазин и купит... купит... ну, чего-нибудь да купит! Сейчас выбор продуктов просто огромный. Можно, особо не глядя, покидать в корзину покупки, а дома Леся уже с ними разберется.

Но сейчас у Киры имелось дело поважней.

По всему выходило, что следующим пунктом расследования должен стать ресторан «Букет», где работала одна из успешных учениц Михаила — Галя. Сыщицу в этом месте привлекало несколько вещей. Во-первых, ей надо было выяснить, не Галочкин ли муженек прикончил Михаила. А во-вторых... во-вторых, Кира надеялась, что Галя сможет рассказать ей что-то и о семье своего учителя. Да, в квартире он был зарегистрирован один, жены и детей не имел. Но ведь он говорил о брате и другой родне, которая у него якобы имелась.

— И с этой родней какой-то непорядок. Есть какие-то Витя с Аней. И еще Федор. Он-то кто такой? Похоже, тот самый мужик, который отказался удрать с Ларисой из подвала. Но кем он приходится Михаилу? И почему в досье Лисицы на Михаила ничего нету? Хм... Странно это все. Очень странно.

И все же у Киры не было теперь другого выхода, кроме как найти убийцу Михаила и предъявить его следователю. Ведь если этого не сделать, то следователь сосредоточит усилия на поиске Ларисы. И кто его знает, может, рано или поздно найдет ее.

— И тогда я ей не завидую. Никто в ее дурацкую историю про записку с таинственным шифром, которую ей, дескать, надо было передать покойному, просто не поверит.

Поиски ресторана «Букет» затянулись. А когда Кира все же нашла здание, подходящее под описание Насти, то выяснилось, что называется ресторан «Цветы Востока», а никакой не «Букет».

— С памятью у Насти плоховато. Будем надеяться, что хоть в главном она не ошиблась.

Остановив машину на стоянке ресторана, Кира вытащила записку и внимательно ее изучила. Записка ничего ей не сказала. Ни один из значков не был понятен сыщице. Но на всякий случай Кира взяла записку с собой. Если Галочка была любимой ученицей Михаила, может быть, он обучил ее и шифру, который знал сам?

Настя в этом вопросе ничем не могла помочь сыщице. Для нее записка была полной абракадаброй, она так прямо и заявила. Теперь надежда у Киры была на Галину. Может, эта ученица окажется более прилежной?

Галина нашлась на своем рабочем месте. В распоряжении бывшей официантки теперь был просторный кабинет с двумя большими окнами. Рабочее место директора процветающего дорогого ресторана должно было полностью соответствовать имиджу самого заведения.

— Галина Сергеевна, тут к вам посетительница. Хочет заказать банкет.

— Хорошо, — не поднимая головы от бумаг, произнесла Галина.

Кира, которая наплела молоденькому администратору, что желает в их ресторане закатить шикарную свадьбу на сто человек, выразительно на него глянула. Тот кашлянул, и Галина оторвала голову от бумаг.

— Галина Сергеевна, посетительница желает обсудить заказ только с вами.

На лице Галины промелькнуло легкое раздражение, тут же сменившееся широкой улыбкой. С сожалением взглянув на свои разложенные бумаги, видимо, действительно была сильно занята, Галина поднялась навстречу Кире.

— Оставь нас, Алеша. Мы тут сами.

Администратор испарился, а Галина усадила Киру в наиглубочайшее кожаное кресло, предложила ей рюмку ликера, а когда Кира отказалась, придвинула тарелку с фруктами и налила сока в сверкающий хрустальный стакан.

— Вероятно, если у вас свадьба, то вы захотите какие-нибудь особенные развлечения. У нас в программе есть танец живота, лезгинка, наши музыканты — настоящие профессионалы, каждый с консерваторским образованием. Исполнят вам любую мелодию, любой танец. Они знают как наши старинные русские песни, так и эстраду, и восточный фольклор.

— Скажите, а ваш муж знает про Михаила?

Если Галина и ожидала от Киры какого-то вопроса, то никак не этого. Сначала она просто не поняла, о чем речь. А когда поняла, то вздрогнула и побледнела. Но затем, собрав волю в кулак, все же изобразила на непослушных губах улыбку:

— Кто такой Михаил? О ком речь?

— Галина, не притворяйтесь, будто не понимаете. У вас губы дрожат.

Галина сильно сжала губы.

— Уходите!

— Галина, оцените мой такт, я пришла к вам, а не к вашему мужу.

На какой-то момент Галина замерла, осмысливая эту фразу. А затем все еще холодно, но уже не так враждебно произнесла:

— Говорите, чего хотите? Денег?

— Нет, деньги меня не интересуют.

— Тогда... Тогда что?

— Я хочу с вами познакомиться.

— Постойте, меня осенило! Ты — Руфь? Вторая жена моего мужа?

Кира не нашла что ответить на этот вопрос и поэтому молча таращилась на Галину. А та, не слыша возражений, буквально расцвела:

— Так вот кто ко мне пожаловал! А я-то все думала, захочешь ты со мной поговорить или так и будешь прятаться? Я представляла тебя другой!

— Нет, я такая, — пробормотала Кира.

Она уже поняла, что Галина приняла ее за другую женщину, но пока что не знала, сознаваться ей или скрыть правду.

А Галина, не встречая сопротивления, начала говорить:

— Очень хорошо, что зашла. Молодец! Нам — вторым, третьим и так далее женам — надо держаться вместе. Это только Гуля может нос задирать, а нам-то хвастаться особо нечем. Это в арабских странах наш статус еще как-то закреплен юридически. А тут мы кто? Да никто, просто любовницы. Абсолютно бесправные личности.

— Почему?

— А ты не понимаешь? Если завтра Ахмет умрет, тьфу-тьфу черту в уши, то кто унаследует его дело, деньги, бизнес? Думаешь, ты или я? Нет, ни я, ни ты, а его первая жена — Гуля и ее дети!

Кира молча кивала. Она уже смекнула, что муж у Галины — никакой не муж, а любовник.

И у него, судя по всему, полно еще других любовниц, которые сами себя для пущей важности величают его женами. Как отнесется в такой ситуации мужчина к известию о том, что одна из его «жен» бегает к любовнику? Станет проливать кровь этого человека или просто порвет с изменницей?

— Руфь, лапушка, а что, если нам начать дружить? У тебя дети есть?

— Нет.

— Вот и у меня тоже нету. Как думаешь, может, Ахмет того... бесплоден?

— Но ты же говоришь, у него дети... — помимо воли вступила в разговор Кира. — От этой... от Гули.

— Да в том-то и дело, что у нее дети, а у нас — шиш с маслом.

— Ну, почему же! Тебя вот Ахмет в кресло директора посадил.

— Ага! Голова у Ахмета хорошо варит! Мигом сообразил, что я ему и главбух, и управляющий, и любовница, и как директора меня представить не стыдно. Умею держать себя в руках, английский в совершенстве, университет закончила, значит, при случае могу блеснуть эрудицией перед иностранными партнерами или клиентами. Только дошли до меня слухи, что Ахмет хочет расширяться в восточном направлении. А я восточных языков не знаю! Чуешь, к чему дело идет?

— Тебе придется учить арабский!

— Хорошо, коли так. Только сдается мне, что Ахмету легче новую бабу себе найти, чем ждать, пока я арабский язык осилю.

Эта фраза заставила Киру задуматься.

— А не скажешь, на каком это языке?

Она показала записку Гале, но та лишь изумленно покачала головой:

— Понятия не имею. Даже не знаю, что за алфавит. На первый взгляд вроде бы похоже на китайские иероглифы. Но и в китайском, если честно, я совсем никак.

Значит, минус одно очко. Что за шифр, Галина знать не знала. Зря Кира даже задала ей этот вопрос. Но не задать его тоже не могла.

— А Михаил тебе никогда не говорил о том, что знает какой-то язык кроме русского?

— Михаил? — переспросила Галя. — Так эту записку он тебе дал?

— Нет, просто к слову пришлось, — выкрутилась Кира.

Она видела, что Галина отнеслась к записке совершенно равнодушно. Если бы женщина что-то знала про шифр, Кира бы по ее лицу все поняла. Галина не умела скрывать свои чувства. И еще она зачастую делала слишком поспешные выводы.

— Слушай, Руфь, неужели ты тоже к Михаилу шастала?

— А как, по-твоему, я тебя разыскала?

— Через Михаила?

— Ну, не через Ахмета ведь! Тот ни словечка лишнего про других своих жен не проронит.

— Мне он тоже ничего прямо не говорит. Если разговор подслушаю или в беседе с друзьями женское имя мелькнет, тогда уж я уши настораживаю. А как ты на Михаила-то вышла?

— Чисто случайно. Через газету.

— Ага, я его тоже через газету нашла. Вернее, через журнал. Ну, и чего? Помог тебе Миша?

— Знаешь, мне он очень понравился.

— Совсем на Ахмета не похож? Скажи?

И так как Галина явно ждала ответа, Кира охотно воскликнула:

— Да что ты! Просто день и ночь!

Галина просияла. Теперь у них с Кирой, которую она упорно именовала Руфь, было сразу две общие темы для разговора — Ахмет и Михаил. Как известно, ничто так не сближает двух мужчин, как общая женщина. Ну а двух женщин, волей или неволей, сближает их общий мужчина.

Но ревности не было места в сердце Галины. А уж Кире ревновать было и вовсе глупо. Она Михаила даже никогда не видела, не говорила с ним, и вообще знать о нем не знала. Это же касалось и неведомого ей Ахмета.

— В общем, если ты хочешь у меня про Мишу расспросить, то я всецело в твоем распоряжении. С тех пор как с Ахметом познакомилась, я к Мише всего пару раз и заглядывала. Да и то... так... по старой памяти, как к доброму знакомому, терять которого совсем мне бы не хотелось. Но ты меня спрашивай! Все, что тебе интересно, я расскажу. Недаром ведь целых два года к Мише каждую неделю бегала.

— А... а зачем? Зачем бегала к нему?

— Будто бы не понимаешь? За силой! Приду к нему несчастная, всеми заплеванная, убогая. А ухожу, как на крыльях лечу! Просто царица, Эммануэль и сказочная фея в одном лице! Супер-пупер, самая лучшая и желанная красавица на свете! За этим к Мише бабы и бегали!

— Какое восхитительное, должно быть, ощущение.

— Будто бы сама не знаешь!

— А ты не ревновала его к другим?

— К другим ученицам? Нет, никогда. Странно, но не ревновала. Знала, что Миши на нас всех хватит. И еще знала, что к каждой из нас он находит особый подход. Не равняет всех под одну гребенку, но с каждой находит общий язык. Помогает раскрыться именно ее женской сущности. А это ведь трудно. Очень трудно. Иной раз я даже думаю, а человек ли вообще Миша?

— А кто? — не удержалась от вопроса Кира. — Инопланетянин?

— Дьявол! — отозвалась Галина со страшным смехом.

Но Кира ее веселья не поддержала. И Галина быстро замолчала, вновь став серьезной.

— Хочу тебе сказать, что Миша — это твой пропуск в новую, счастливую жизнь. Ходи к нему почаще, и он обязательно тебе поможет стать счастливой.

Совет был хорош, вот только живым к покойнику ходить трудно. Разве что на кладбище. Но Галина о случившемся с Михаилом несчастье явно не знала, и Кира пока что колебалась, говорить ей или нет.

— Скажи, а что ты вообще знаешь про Михаила? Ну, кроме того, что он помогает женщинам вроде тебя и меня?

— Ты имеешь в виду, что из себя Миша представляет вообще?

— Да.

— Меня это никогда особенно не интересовало, но насколько я знаю, его воспитывала мать.

— Не отец?

Кира была удивлена, потому что четко помнила, что Настя говорила, будто бы именно отец брал маленького Мишу с собой в экспедиции.

— Миша жил с матерью и братьями. Мать у него была интересная женщина, трижды побывала замужем и в каждом браке имела по сыну. Михаил старший. У него еще двое братьев.

— Как их зовут?

— Не знаю. Миша не упоминал их имен.

— А его родной отец?

— Про него Миша может рассказывать бесконечно. Мне кажется, Миша с отцом были очень близки духовно. В чем-то, конечно, они и отличались. Но все же между ними была большая близость, чем между Мишей и его матерью. С ней Миша лишь существовал, ел, пил, спал. А вот со своим отцом он жил полной жизнью.

И Галина принялась рассказывать то, что знала о детстве своего учителя. Маленький Миша очень мало интересовал его родного отца. У того — мальчика из очень хорошей профессорской семьи, была давняя и не поддающаяся лечению болезнь — бродяжничество. Откуда свалилась на голову профессора и его жены такая беда, никто не мог понять. Но их сыну Сергею всегда было тесно в душных городских стенах, его властно манили к себе простор и открытый горизонт. Дальняя дорога была для него куда увлекательнее, чем любая лекция, посещение театра или кино.

— Отец Миши начал скитаться по свету, еще будучи студентом. С грехом пополам он все-таки закончил Горный институт, да и то во многом благодаря тому, что там старшим преподавателем работал его дед и все его очень уважали.

Но получив диплом горного инженера, Сергей не был удовлетворен своей жизнью.

— Используя каждый выпадающий ему шанс, он продолжал скитаться по миру. Причем его влекли к себе дороги и дальние страны, а вовсе не богатые полезными ископаемыми недра нашей страны, которые ему полагалось изучать.

И все же до развала СССР отцу Михаила приходилось трудиться, ведь он не хотел попасть под статью о тунеядстве. Да, была и такая, и помня о ней, ни один из здоровых граждан старше 18 лет не мог позволить себе просто валяться на диване. Не учиться, не работать, а просто проживать то, что до него нажили другие.

Зато после развала Страны Советов с ее справедливыми, хотя и жесткими, законами Сергей почувствовал долгожданный воздух свободы. Не давая объяснений ни жене, ни деду, ни отцу, ни коллегам по работе, Сергей отправился в долгое странствие по Тибету.

— Михаил, насколько я знаю, отправился в тот раз вместе с отцом. Отец и прежде его часто брал с собой в летние экспедиции в тайгу, в Сибирь. А тут они поехали вдвоем, ни от кого не завися. И обратно вернулись переполненными эмоциями и впечатлениями. Даже спустя многие годы Миша не уставал рассказывать об этом первом путешествии в другую страну.

Миша вернулся в дом своей матери, к братьям. А вот его отец всерьез занялся новым делом, которое показалось ему куда привлекательней прежней работы в горнодобывающей отрасли.

— Сначала Миша с отцом ездили в экспедиции за свой счет. Потом отцу удалось договориться с географическим обществом, какими-то другими организациями. Их путешествия стали частично финансироваться. С ними ездила съемочная группа, дело пошло на лад.

Но прибыль никогда не волновала Сергея. Не волновала она и Михаила.

— Что отец его был чудак, что сам Миша. Ты знаешь, что одну из квартир, которую ему добрая тетушка завещала, он продал. На эти деньги экспедиции на Дальний Восток снарядил. Снежного человека искал или еще чего-то такое же нереальное.

— Нашел?

— Нет, конечно! Только деньги угрохал. Хорошо еще, что ума хватило вторую квартиру, которую ему другая тетушка завещала, не продавать.

— А ты откуда знаешь про эти квартиры?

— Так мы с Мишей один раз ездили к его квартирантам на Захарьевскую улицу, что-то там им нужно было. Ну, Миша меня и пригласил наверх. Сказал, что это фамильное гнездо. Что у его деда с отцовской стороны было трое детей. Сергей и две девочки — тетушки Михаила. Дед — профессор Добряков — вместе с дочерьми жил в этой квартире. Ничего, такая, скажу я тебе, квартирка! Думаю, метров сто. Пять комнат. Ремонтом, конечно, там даже не пахнет. Дед умер еще в восьмидесятых годах. Вот с тех пор ремонта квартира и не знала. В каждой комнате по жильцу. Какие-то бродяги ненормальные. Одни к экспедиции на Северный полюс готовились, на лыжах туда дойти хотели, представляешь? Другие тоже куда-то ехали. Но все равно я считаю, что хоть его отец, что сам Миша были не от мира сего. Да ты и сама должна была это понять.

— Ну, я не настолько хорошо его знала.

— Расчета в Мише совсем не было. Например, с меня за занятия он за все это время не взял ни копейки. Наоборот, всегда хорошо угощал, делал подарки. Не очень дорогие, но зато неизменно приятные.

В общем, жаловаться Галине было не на что. И убивать Михаила тоже не за что. Она прекрасно знала о существовании у Миши и других «учениц» и совершенно к ним не ревновала. Другой вопрос — ее Ахмет. Мог он убить Михаила? Пусть даже не столько из ревности, сколько из оскорбленного самолюбия.

— Скажи, а Ахмет мог догадаться о тебе и Мише?

Галина явно испугалась.

— Не приведи бог! Почему ты так сказала?

— Просто... Понимаешь, Михаил мертв.

— Мертв?

— Да. Его застрелил какой-то человек на пороге его квартиры. И вот я подумала, а вдруг...

— Вдруг это Ахмет?

— Да.

— Возмутительно! — воскликнула Галина. — И как такая мысль только могла тебе в голову прийти? Или ты не знаешь нашего Ахмета?

— Ну... А ты сама... Ты Ахмета хорошо знаешь?

— Не стал бы он никого убивать! Вот еще! Прекрасно помню, как он себя повел в истории с Танькой.

— Еще одна «жена»?

Галина кивнула и продолжила:

— Когда Ахмет застукал Таню с другим мужчиной, он только повернулся и пошел прочь. С Таней больше не общался. А с этим ее хахалем кое-какие дела еще долго имел.

— Наверное, разорил этого человека?

— Наоборот, жалел его. Говорил, что если у мужчины не хватает сил, чтобы удержать возле себя свою женщину и он зарится на чужих, значит, этот мужчина слаб.

— Скажи, а у Ахмета много жен?

— Таких, как ты и я, думаю, четыре. Коран дозволяет иметь четыре жены. Вместо Таньки быстро какая-то другая нашлась.

— И все же раз Миша убит, Ахмет попадет в полиции под подозрение.

— Ой, ни в коем случае! — испугалась Галина. — Тогда он меня бросит! Да и тебя тоже. А давай мы ему алиби придумаем?

Мысль была не нова, но Кира ее решительно отклонила.

— Ни в коем случае! Нельзя так рисковать. Полиция будет проверять алиби. Узнают, что мы соврали, еще хуже будет.

— Когда произошло убийство?

И узнав время, Галина едва ли не запрыгала от радости.

— Ничего специально придумывать не надо. Мы с Ахметом были в доме отдыха. Три дня там провели, прекрасно отдохнули. Расслабляющий массаж, водные процедуры, морские купания. Я посетила косметолога, салон красоты, в соляной комнате были. И все за счет Ахметика! Видишь, какой он заботливый? Он меня очень любит. Может, даже когда-нибудь женится на мне по-настоящему.

Но Кира что-то не торопилась ей завидовать. Учитывая количество соперниц, которые дышали Галине в затылок, вряд ли ее благоденствие продлится долго. И уж на поддержку мужского плеча в старости ей рассчитывать точно нечего. Стоит ей потерять молодость и свежесть, как Ахмет мигом найдет ей замену. Колебаться не будет, ведь, как любой мужчина, он твердо уверен, что останется молодым на всю жизнь.

Итак, после разговора с Галиной копилка сыщиц пополнилась. И теперь они точно знали, что у Михаила было еще двое братьев. И все трое братьев были единоутробными, то есть рожденными одной женщиной от разных мужчин. Однако квартира, в которой жил Михаил, досталась ему от тетушки. И более того, имелась еще одна квартира, доставшаяся ему от деда по отцовской линии, которую Михаил сдавал и за которую, видимо, получал какие-то деньги.

Видимо, родственники по отцовской линии у Михаила были весьма преуспевающими и небедными. Значит, кто-то из них мог завещать ему свое состояние. Не поэтому ли убили Михаила? Кто-нибудь из его наследников, например.

— Нам во что бы то ни стало надо найти братьев убитого.

Личность Михаила сильно заинтересовала Киру. Не каждый день удается, пусть и посмертно, познакомиться с таким незаурядным человеком. И на Тибете он побывал, и снежного человека искал, и чего только не делал в своей бурной и богатой событиями жизни. Все это было очень захватывающе и впечатляло.

Неудивительно, что путешествия привлекают к себе массу людей. Вот только простые работяги штурмовать полюса отправляются редко. Удовольствие это весьма затратное. Нужна техника, на лыжах можно проделать лишь часть пути. Нужна страховка, иначе можно остаться во льдах навечно. Да и на организацию экспедиции нужны время, силы, да и знания. Куда пойти, с кем обсудить план предстоящей экспедиции. Простой человек даже и не знает, к кому сунуться со своей мечтой.

К тому же работяге, чтобы только свести концы с концами и прокормить свою семью, надо ходить на службу каждый день. Все траты строго подсчитаны на годы вперед. Экспедиция к полюсу или в любое другое место пробьет глубокую брешь в семейном бюджете. Так что в экспедиции отправляются люди либо одинокие, либо имеющие какой-то независимый источник доходов. И вполне могло быть так, что и за снятую комнату они платили Михаилу живой монетой.

В любом случае квартира в центре города, даже находящаяся в самом запущенном состоянии, — это лакомый кусочек для наследников.

Да еще имелась собственная квартира Михаила, где тот проживал. Пусть и меньших размеров, но она тоже должна была потянуть на немалую сумму.

Итак, Михаила могли убить из-за двух его квартир. Кто? Предположим, кто-то из тех, кто рассчитывает получить после Михаила наследство. Он одинок, ни жен, ни многочисленных детей, судиться с которыми себе дороже выйдет, у Михаила нету. Он лакомый кусок для злоумышленника. У него есть лишь двое братьев. Значит, надо выяснить имена его братьев и разыскать их. Даже если они и не убивали, то могут знать, кто это сделал.

От Галины Кира получила описание примерного расположения квартиры на Захарьевской улице. Точного адреса Галина назвать не могла, но описала дорогу довольно толково. И теперь Кира двигалась в направлении этой улицы, твердо уверенная, что скоро будет знать о Михаиле Добрякове все, ну, или, по крайней мере, почти все.

ГЛАВА 7

Оказавшись на Захарьевской, Кира остановила машину возле приметного «египетского» дома. Построенный еще в начале двадцатого столетия, он, будучи обычным доходным домом, как ранее, так и сегодня привлекал к себе взгляд. Выстроенный архитектором Согайло, этот дом поражал с первого взгляда совсем нетипичным для северного города «египетским» убранством.

Но если в другой раз Кира подольше задержалась бы возле этого замечательного дома, то сегодня она лишь мельком окинула его взглядом, убедилась, что с домом все в порядке, стоит себе спокойно, и двинулась дальше. Ей нужен был то ли третий, то ли четвертый дом, следующий за «египетским».

Кира повторила самой себе указания, полученные от Галины.

— Дом должен быть выкрашен желтой краской.

Третий по счету дом был бледно-зеленым, следующий за ним — голубой. Желтый был на значительном отдалении или на другой стороне. И Кира ненадолго остановилась в замешательстве. Но затем ухватила за руку мальчишку, гоняющего мяч по тротуару, и строго спросила:

— Ты тут живешь?

— Тетенька, отстаньте. Я больше не буду.

— Да я ведь тебя еще ни в чем и не обвиняла.

Мальчишка шмыгнул носом и деловито осведомился:

— Чего хотела тогда?

— Ты не помнишь, какой из этих домов недавно перекрашивали?

— Все.

— А какой из них был прежде желтым?

— Оба.

Ответ мог бы поставить Киру в тупик, но она нашлась и тут:

— А какой в большей степени был желтым?

Парнишка явно заинтересовался:

— Тетя, а вам очень это надо знать?

— Очень.

— Тогда денег дайте.

— На мороженое?

— Хотя бы на мороженое.

Но когда Кира вытащила сто рублей, мальчишка жутко обиделся.

— Это что?

— Деньги.

— Это не деньги, а сто рублей. По-вашему, я подругу должен на улице вафельным стаканчиком угощать?

— Нет? Что же, в кафе ее поведешь?

— Конечно. Я же все-таки мужчина.

Киру неожиданно развеселил этот пацанчик, которому вряд ли было больше двенадцати и который только что азартно гонял мяч, совсем не думая ни о каких подругах. И вдруг такие понты. Что же вырастет из этого шкета в будущем, если уже сейчас он твердо уяснил для себя, что дам надо угощать только в кафе?

Получив деньги, пацанчик ткнул пальцем в голубой дом и сказал:

— Вот этот. И кстати, я тут тоже живу. Вы кого ищете-то?

— Мне нужна одна квартира... Там один хозяин, но все комнаты он сдает.

— Кому сдает-то? Если тем, что с рынка, то это на втором. Если китайцам, то это тоже на втором, только в другом подъезде.

— Нет, мне нужна квартира, где останавливаются... ну такие... с рюкзаками. Путешественники, одним словом.

— Бородатые? — радостно воскликнул ребенок. — Так что же вы, тетенька, раньше молчали? Я вас сейчас к ним прямо и отведу. Очень хорошо знаю, где они обосновались. Мама их бородатыми зовет, а папа говорит, что они все на голову долбанутые. И еще говорит, что нормальный человек должен жить там, где родился. А по свету шляться нечего, все равно бедному человеку всюду одно и то же — полная жопа!

— Твой папа не прав.

— Мой папа?! — задохнулся от возмущения пацан. — Мой папа прав всегда.

— Ну, хорошо, не сердись. Но все-таки, если бы не было путешественников, то мы бы до сих пор думали, что за морем ничего нету.

— А там есть Америка, — рассудительно произнес мальчик. — И что в ней хорошего?

Кира растерялась.

— А эти... бородатые, они в Америку и не лезут. Им всякие дебри подавай. Ни одного нормального среди них нету, вы даже и не ищите.

— Ладно, ты мне только их покажи, а дальше я уж сама разберусь.

Но в квартире вообще никого не было. То ли летом все жильцы Михаила расползлись по разным углам нашего земного шара, то ли вышли до ближайшего магазина за хлебом. С такими людьми никогда нельзя знать наверняка, куда их унесло.

На всякий случай Кира решила подождать. Но прошло полчаса, прошел час, а в нужную ей квартиру так никто и не вернулся. Больше тратить время на бесплодное ожидание Кира не могла. Ей ведь еще тоже нужно было в магазин за хлебом и прочими продуктами.

— Бесполезное времяпрепровождение — сидеть тут и ждать. Только свое время зря потрачу. А ведь мне еще в магазин. Лисицу вечером надо хорошенько угостить, если мы хотим все-таки получить от него помощь.

Так что Кира решила, что ей пора уходить. Она вернется завтра. Может быть, с утра пораньше ей удастся застать кого-нибудь из путешественников в этой квартире.

Для очистки совести Кира поднялась на один этаж, позвонила в три квартиры. Выслушала гулкую тишину в ответ и спустилась вниз. Тут она тоже попытала удачи, но безрезультатно. И поэтому просто махнула рукой и вышла во двор.

Теплое послеполуденное солнышко ударило ей в глаза. Кира зажмурилась и невольно замерла. Как же все-таки хорошо на улице летом! Даже в центре загазованного мегаполиса хорошо, а уж у них дома в «Чудном уголке» и вовсе красота!

— А следующим летом, говорит, в Аргентину поедет, — услышала Кира старушечий голос. — Целая экспедиция у них намечена, и фильм потом по собранным материалам будет создан. «Тропой древних цивилизаций», — так, что ли, называться будет.

Повернув голову в ту сторону, Кира обнаружила несколько старушек, устроившихся на освещенном солнцем пятачке. Трое из них были самыми обычными пенсионерками, скромно и даже небогато одетыми. А вот одна выделялась из общего серого фона. Несмотря на годы, она была одета в пестрый трикотажный сарафан на тонких бретельках. На голове вместо полотняной панамки или платочка была широкополая шляпа, украшенная лентами. На ногах у женщины красовались белые туфли, даже издалека казавшиеся очень недешевыми.

Одна из сидящих на скамеечке старушек, одетая куда проще, заискивающе обратилась к разряженной старухе.

— И как вы, Марта Гербертовна, не боитесь таких соседей? Ведь у этих людей черт-те что в головах творится! Виданное ли это дело, чтобы человек от своих корней оторвался да и катался бы по миру, словно какое перекати-поле, прости меня господи!

— Совершенно напрасно вы, голубушка, так против наших молодых соседей настроены. Среди них попадаются очень милые люди. Образованные, начитанные. С ними и поговорить есть о чем, не то что...

Марта Гербертовна вовремя замолчала. А ее приятельница даже ничего и не заметила. Она продолжала развивать свою собственную мысль:

— Попросили бы вы своего сыночка, чтобы он выгнал этих бродяг из нашего дома. Того и гляди, сопрут чего-нибудь или пожар нам устроят.

— Никого я просить не буду! И я повторяю, что эти увлеченные молодые люди лично мне по сердцу!

— Ну-ну, — поджала губы вторая старуха. — Дождетесь, что один из этих увлеченных... вам по башке даст и квартиру вашу обчистит! Все, что вам сын купил, все вынесут эти ваши... увлеченные!

Марта Гербертовна поднялась на ноги. Было видно, что она сильно разгневана на неумные слова соседки. У Марты Гербертовны даже ее замечательная шляпа тряслась от злости. Но пожилая женщина умела держать себя в руках. И когда она заговорила, то голос ее звучал лишь чуточку приглушенно.

— Сейчас не прежние годы, дорогая. И выгнать этих молодых людей может лишь сам хозяин квартиры. А насколько я знаю, племянник моей покойной подруги не собирается этого делать. Ему вполне по душе те люди, которые у него живут. И то дело, которым они занимаются, тоже ему близко по духу. Так что в ближайшее время даже не надейтесь, что избавитесь от неугодных вам соседей.

И выпалив это, Марта Гербертовна зашагала в сторону подъезда. Кира едва успела отпрыгнуть в сторону от разгневанной старухи. Вблизи Марте Гербертовне было лет восемьдесят, но прямая спина, твердая поступь и ясный взгляд ее не по-старчески ярких глаз сбавляли ей годков.

Но Киру заинтересовало не это. Она помнила, что старуха отозвалась о Михаиле как о племяннике своей лучшей подруги. И сыщица кинулась следом за старухой.

— Марта Гербертовна, подождите секунду!

— Я вас слушаю.

— У меня есть к вам поручение... это по поводу вашего соседа — Михаила!

— Насчет его квартиры?

— И да и нет.

— Потрудитесь изъясняться вразумительнее, сударыня.

— Не могу. Дыхание сбилось.

Кира действительно изрядно запыхалась, прыгая следом за Мартой Гербертовной по ступенькам. Лицо у старухи разгладилось, и она снисходительно произнесла:

— Вашему поколению не хватает физических тренировок. Вот мой муж всегда начинал день с гимнастики. И я проделываю ряд позаимствованных у него упражнений.

— Вам это помогло сохранить удивительную моложавость.

По лицу старухи промелькнула тень улыбки. Комплимент был ей приятен. А сама Кира казалась куда более достойной компанией, чем пенсионерки на лавочке во дворе.

— Как поживает Миша?

— Ну... Если откровенно, то не очень хорошо.

— Что случилось?

— Если уж говорить совсем честно, то его убили.

— Что?

Марта Гербертовна возмущенно воззрилась на Киру.

— Что за нелепицу вы мне тут городите? Михаил — мертв?

— Убит.

— Я вам не верю!

— Могу дать вам телефон следователя, который занимается этим делом. Его фамилия — Смелый, и он...

Но старуха остановила Киру властным взмахом руки.

— У меня есть свои информаторы.

И поднеся к уху телефон, она произнесла:

— Эрик, я знаю, что ты не любишь, когда тебя отрывают от дел. Но у меня ужасная новость. Миша — мертв. Как это «какой Миша»? Племянник Эсфири! Кто такая Эсфирь? Ну, знаешь, дорогой мой сын, только твоя невероятная занятость спасает тебя на сей раз! Да, да, я понимаю, но будь внимательнее к своей матери. Эсфирь — моя лучшая подруга! Да, я знаю, что тетя Эсфирь умерла много лет назад. Знаю, что она похоронена. Но Михаил — ее любимый племянник был до сих пор жив, здоров и даже наведывался время от времени ко мне в гости! А теперь говорят, что и он тоже...

Голос Марты Гербертовны наконец дрогнул. И сын на другом конце линии что-то торопливо заговорил. Видимо, успокаивал свою матушку. Ему это удалось, потому что когда Марта Гербертовна заговорила, то голос ее звучал уже совсем иначе.

— Да, наведи справки. Я жду.

Звонок прозвучал буквально через пару минут. Марта Гербертовна выслушала, побледнела еще больше и поманила Киру к себе. Когда девушка приблизилась, старуха протянула ей руку.

— Помогите мне добраться до моей квартиры. Надо пройти еще один этаж, а у меня ноги дрожат.

Рука у Марты Гербертовны тоже дрожала.

— Все, все ушли, — бормотала она, тяжело поднимаясь по ступеням. — Одна я осталась.

Эсфирь, Далила, потом Сережа. А теперь вот еще и Мишенька. Боже мой, какой это был чудный мальчик! Мне всегда было страшно жаль, что Сережа не смог сам воспитывать ребенка. Эта ужасная женщина — его бывшая жена только портила Михаила.

И взглянув на Киру, она неожиданно обратилась к ней:

— Все хорошее, что было в Мише, досталось ему от отца. Но лень, сластолюбие и чревоугодие, безусловно, достались ему в наследство от матери!

— Вы знали их всех?

— Ну, разумеется. Я ведь дружила с Эсфирью.

— Эсфирь — это одна из тетушек Михаила?

Марта Гербертовна кивнула и продолжала:

— В мои годы дружили не так, как вы — молодые. Вы зачастую не знаете, как зовут родителей ваших знакомых. А у нас дружили домами. Я, Эсфирь и Далила — мы были очень близки. Сергей был в семье младшим ребенком. И однако же только он сумел дать продолжение своему роду.

— Эсфирь и Далила — это тетушки Михаила?

— Да.

— Они были... еврейками?

— Вы судите по их именам? Не надо.

Имена достались девочкам от их отца — ученого-историка, увлеченного историей Древнего Востока. Имена своим дочерям он взял прямо из Библии, из Ветхого Завета.

— Они так договорились с женой, дочерям выбирает имена их отец, а мальчика называет мать. Так и получилось, что мальчик носил, на мой взгляд, несколько простоватое имя — Сергей. А девочки откликались на причудливые для современного уха старинные еврейские имена.

Квартира Марты Гербертовны приятно удивляла. Просторные светлые комнаты были обставлены новой мебелью из натурального дерева. Вся электроника была очень дорогой и самой современной. Плазменные панели висели всюду, даже в кухне и ванной комнате. Но сама хозяйка относилась к окружающей ее роскоши с царственной небрежностью. Мрамор, позолота, зеркала — она их словно бы и не замечала.

К тому же в квартире имелась прислуга — невысокая девушка с широкими скулами и узкими темными глазами молча кинулась навстречу хозяйке, проводила ее до кресла, принесла воды, каких-то капель. Все молча и с поклонами. Хорошая вымуштрованная прислуга. Но Марта Гербертовна быстро отослала ее прочь.

— Накапайте мне сами лекарства, душенька, — обратилась старуха к Кире. — Мне надо набраться сил, чтобы продолжить разговор с вами.

Выпив лекарство, она некоторое время просидела молча и с закрытыми глазами.

— Не отпускает, — с досадой произнесла она. — Дрянь лекарство! Душенька, там в шкафу, на полке, стоит одна бутылочка... Принеси ее мне.

Кира разыскала требуемое. И хотя бутылочка была фирменная, темного стекла — от какого-то лекарственного бальзама, но пахло от нее хорошим коньяком. Да и жидкость, которую щедро плеснула себе в стакан Марта Гербертовна, выглядела и пахла, как выдержанный коньяк.

На сей раз лечение помогло отлично. Марта Гербертовна порозовела, глаза у нее вновь заблестели. И она повернула посветлевшее лицо к Кире:

— Я так понимаю, вы расследуете обстоятельства смерти Миши?

— Да, я...

— Как близкая подруга его тетушек и отца, я могу вам помочь. Так о чем конкретно вы хотели меня расспросить?

— Меня интересует семья Михаила.

— Никто лучше меня в целом свете не расскажет вам этого, — заверила Киру старуха. — Я прекрасно знала семью профессора Добрякова. Дружила с его дочками, хорошо знала Сергея — отца Михаила.

— А других детей у Сергея не было?

— Нет. Михаил был его единственным отпрыском. Честно говоря, я и его появлению удивилась. Но Ира... Мать Миши, надо отдать ей должное, была заводной штучкой. Сергей увлекся ею, как не увлекался женщиной ни до появления в его жизни Иры, ни после ее ухода.

— А почему они развелись?

— Видите ли... Ира всегда стремилась к красивой жизни. Сама из себя она ровным счетом ничего особенного не представляла. Девочка из обычной, даже не питерской и не московской, семьи, родители у нее были из интеллигенции, жили очень скромно то ли в Саратове, то ли в Саранске, я уж за давностью лет и не помню.

— Это и не важно.

— Я тоже так думаю. Так вот Ирочка подалась в большой город на поиски счастья. И сначала замужество с Сергеем ей именно таким счастьем и представлялось. Ну, посудите сами, сын профессора, огромная квартира. Самому профессору полагались две отдельные комнаты под кабинет и под домашнюю библиотеку. Ну, и его семья тоже не была обижена.

Разумеется, это показалось небогатой Ирочке настоящим дворцом. Ее даже не смущало, что ее жених все время талдычит о каких-то экспедициях. Ирочка представляла себе замужнюю жизнь в розовых красках. Вот она встает утром с кровати, свекровь или прислуга сервирует ей завтрак, а лучше — сразу приносит его к кровати. Дальше Ирочка встает и отправляется по магазинам тратить деньги своего мужа.

Но действительность оказалась совсем иной. Кроме того, что денег у мужа было до обидного мало, так он еще и не хотел их тратить на Ирочку!

— Пойми, мне необходимо приобрести книги, оборудование, снаряжение, билеты...

Причин было множество, но все они Ирочку не радовали. Свекровь тоже взяла глупую привычку командовать невесткой. Прислуги в доме не было вовсе. Да еще не прошло и двух месяцев, как Ирочка забеременела. Беременность у нее протекала тяжело, и тут уж свекровь принялась таскать невестке лакомые кусочки и всячески о ней заботиться. Но Ирочка отчаянно скучала. Муж умотал в какую-то экспедицию. Свекровь надоела хуже горькой редьки. Нет, не такой ей виделась замужняя жизнь! Совсем не такой.

— Она оставила Сергея и маленького Мишу, когда тому исполнился годик. Отсутствовала где-то три года, а затем явилась и потребовала назад ребенка! Сказала, что у нее новая семья, новый малыш. Будет лучше, если дети станут расти вместе, они ведь братья.

Профессор с женой решили, что Ирочка права. К тому же они и сами видели, что их сын не создан для семейной жизни. Он и исчезновение Ирочки вряд ли бы заметил, если бы ему не сказали, что она ушла. Влюбленность Сергея прошла, он вновь с головой окунулся в свою работу и свои экспедиции.

— Так что Миша отправился на новое место жительства.

Но Миша исчез из дома дедушки с бабушкой не насовсем. Легкомысленная Ирочка частенько подкидывала мальчика. Да еще теперь он появлялся не один, а вместе с Федором — его младшим братишкой.

На этом месте рассказа старухи Кира едва удержалась, чтобы не вздрогнуть. Значит, у Михаила точно был брат по имени Федор! И, скорее всего, этот Федор и прислал с Ларисой шифрованную записку с просьбой о помощи.

А Марта Гербертовна между тем продолжала говорить дальше:

— Федор мне даже нравился. Хороший мальчик. Тихий, но вместе с тем умненький. Уже в три года он прекрасно умел считать. А в четыре мог решить простенькую математическую задачку в два или даже три действия.

Достижения для такого малыша поистине удивительные. Но и дальше Федя не разочаровал своих родителей и приемных дедушку с бабушкой. Он все схватывал на лету. Но особенные способности демонстрировал в точных науках.

Казалось, жизнь наконец-то стала складываться и у непутевой Ирочки и ее детей, но затем произошла новая катастрофа.

— Леня — отец Феди — надумал эмигрировать из СССР. Это было еще в семидесятых годах, тогда многие уезжали. Но уезжали-то семьями! А Леня уехал один.

Трудно сказать, что было тому причиной. Ирочка проклинала сбежавшего мужа, но Добряковым и самой Марте Гербертовне всегда казалось, что это Ирочка начала выкобениваться, не желая ехать в далекий и жаркий Израиль.

— Это она слезы после лить принялась, когда узнала, что Леня до Израиля так и не добрался. Остался в США, где попросил политического убежища.

Беженцев из Советского Союза в те годы были единицы, и все средства пропаганды капиталистического мира носились с этими людьми просто невероятно. Посредственным писателям давались лучшие часы в эфире, их произведения печатались огромными тиражами. Предательство Родины возводилось в ранг подвига.

— И вот Леня стал одним из таких отщепенцев. Впрочем, он никогда не ругал советских порядков, просто говорил, что в СССР не давали простора для его способностей. И действительно, в Соединенных Штатах он быстро преуспел.

Леня был талантливым инженером — изобретателем — и быстро нашел себе работу по вкусу. Насколько я знаю, Леня в Америке вновь женился, завел множество детей. Наверное, Ирочка бы обгрызла себе все локти, но судьба подарила ей третьего мужа и самую ее большую любовь.

— Да, я слышала, у Миши было двое братьев. В новом браке у их матери снова родился малыш?

— Гриша. Горе горькое. Что он сам, что его отец. Вот уж кто доставил Ирочке истинные страдания, так это ее третий, и последний, муж и младший отпрыск.

— А что с ними было не так?

— Решительно все! Гриша был средоточием такой массы пороков, которая в маленьком мальчике была мне просто удивительна. Лживый, деспотичный, коварный, не очень умный, но изворотливый и хитрый. А его отец был полнейшим ничтожеством. То ли актер, то ли статист, то ли вовсе суфлер, он был выгнан из театра за пристрастие к бутылке. Ни образования, ни особого ума, ни красоты. Понять не могу, почему он имел успех у женщин? Но как бы то ни было, Ирочка была влюблена в своего третьего супруга без памяти. Архип мог творить что ему вздумается, Ирочка все ему прощала.

Но Архип не желал оценить самоотверженность супруги. Он продолжал пить, гулять и весело проводить время. Домой он мог не показываться неделями. А когда все же появлялся, то в таком ужасном виде, что лучше бы и не появлялся вовсе. Но приведя себя в порядок, поправившись и приодевшись, он вновь ударялся во все тяжкие. Ни одной получки он до дома так и не донес. Семья жила на алименты, которые получала Ирочка на старших сыновей. И в конце концов Архип погиб. То ли выпитый им алкоголь оказался недоброкачественным, то ли он смешал его с какими-то другими сильнодействующими веществами, но сердце Архипа остановилось. Ирочка и трое мальчиков осиротели.

— Лично я на месте Ирочки бы радовалась тому, что Господь освободил от такой докуки. Но поди же ты! Ирочка места себе не находила от горя. И я думаю, что болезнь поселилась в ней именно в ту пору.

Ирочка боролась с недугом недолго. Через год после смерти обожаемого мужа ее тоже не стало.

— К счастью, все трое мальчиков к этому времени были уже совершеннолетними. Миша ездил с отцом в экспедиции. Федор работал в каком-то счетно-вычислительном центре. Ну а Гриша... Знаете, мне даже не хочется говорить про этого паршивца!

— А братья изучали в школе какие-то иностранные языки?

Вопрос удивил Марту Гербертовну.

— Ну, наверное. Английский, я думаю. Или немецкий.

— А восточные? Китайский, японский?

— Такого я что-то не припомню, — покачала головой старушка. — Думаю, что нет. Иначе бы они рассказали. Миша с Федей учились хорошо, с гордостью делились своими успехами в школе.

Но про то, что кто-то из них изучает китайский или японский, я не слышала.

— Скажите, а между собой братья жили дружно?

— Ну, Миша с Федей были очень славными, они тепло относились друг к другу. А вот Гриша... Нет, я не хочу о нем говорить!

— Марта Гербертовна, надо рассказать, — строго произнесла Кира. — Не забывайте, Михаил убит. А кто мог это сделать? Очень возможно, что кто-то из его близких. Ведь Миша сам открыл дверь квартиры своему убийце.

О том, что Михаил был так сильно потрясен содержанием зашифрованного послания, полученного от брата Федора, что об элементарной осторожности и не вспомнил, Кира упоминать не стала. А Марта Гербертовна восприняла слова гостьи как сигнал. Старуха даже подпрыгнула в кресле и завопила:

— Тогда это он!

— Кто?

— Гриша! Мерзкий лгун и подлец! Он с самого раннего возраста был гадким вруном. А когда вырос, стал настоящим исчадием ада! Ко всем своим порочным наклонностям этот мальчишка унаследовал от обоих своих родителей все их сластолюбие. Девчонки, взрослые женщины и даже замужние дамы бегали за ним целыми табунами. Он ничуть не стеснялся этого. Наоборот, издевался над своими женщинами, как только мог! Мне кажется, он даже получал от этого куда больше удовольствия, чем от самого процесса занятия любовью. Гриша с младых лет любил власть. И ему было все равно, как ему эта власть достается.

— Он был ужасен?

— Вообще ни капли хорошего не было в этом мальчишке! Да что там, он был просто змеенышем! Именно из-за него получил сердечный приступ и в конечном итоге сошел в могилу профессор Добряков — отец моей дорогой Эсфири.

— Как же это случилось? Расскажите?

Но Марта Гербертовна неожиданно замолчала.

— Не думаю, что это имеет какое-то отношение к убийству Михаила. Дело прошлое, давно быльем поросло. Вы лучше мне скажите, арестуете Григория прямо сегодня?

— На каком основании?

— Как же! Ведь я вам четко сказала, он мерзавец, подлец и лгун!

— И что? Это еще не основание, чтобы признать человека убийцей. К тому же если предположить убийство из корыстных мотивов, то Григорий и сам нынче очень богат. Куда богаче Михаила, да и вас тоже! Скорей уж убийца — это Федор.

Это было сказано специально, чтобы позлить Марту Гербертовну. Кира чувствовала, что старуха может еще многое ей рассказать. И оказалась права. Услышав, что ненавистный Гриша, которому она пророчила тюрьму, преуспел в этой жизни, Марта Гербертовна снова схватилась за свое «лекарство». И выпив достаточную порцию, воскликнула:

— Вы же не знаете самого главного! Гриша способен творить самое черное зло! Он оказался способен на преступление, на убийство!

Вот это уже было совсем интересно. И Кира принялась жадно внимать рассказчице.

ГЛАВА 8

Рассказывала Марта Гербертовна увлеченно. Слушать ее было сплошным удовольствием. Грамотная речь плюс захватывающая интрига в рассказе, такой свидетель — это ли не мечта каждого следователя?

— Все три мальчика росли на моих глазах. Из резвых малышей они превращались сначала в заводных подростков, а затем и в статных юношей.

Все трое братьев были хороши собой. Каждый по-своему, но в привлекательности нельзя было отказать ни одному из них. Со временем старики очень привязались к ребятам. Пользуясь этим, бессовестная Ирочка, воплощавшая свои матримониальные планы в жизнь, неизменно подкидывала сыновей к свекру и свекрови. Но справедливости ради надо сказать, что профессорская чета Добряковых этому совсем не препятствовала, а, напротив, поощряла.

— Они души не чаяли в Мише и Феде. Ну а Гриша доставался им как бы в придачу. Знаете, в советские времена было такое понятие, как «набор».

— Набор?

— Да. Как сейчас помню, их выдавали на всех предприятиях нашей страны. Так вот в этот набор входило одно-два дефицитных наименования, к примеру, палка твердокопченой колбасы, ветка бананов, шоколадные конфеты, а в дополнение шло что-нибудь скучное и завалявшееся на магазинных полках: консервы — бычки в томате, перловая крупа или что-то в этом же роде.

— Понимаю, что вы имеете в виду. Миша с Федей были дефицитом, а Грише досталась горькая роль балласта.

— Не спешите его жалеть, — покачала головой Марта Гербертовна. — Вы еще не знаете об этом поганце самого главного.

Пока Гриша был маленьким, особых проблем он не доставлял. Шумным или дерзким он не был. Во всяком случае, со взрослыми вел себя скромно. Но однажды Эсфирь, которая считала всех трех мальчиков своими племянниками и не выделяла ни одного из них, одинаково оделяя их подарками и шлепками, зашла к себе в комнату и замерла, пораженная до глубины души.

Гриша, еще несколько минут назад вежливо ей улыбавшийся, сейчас деловито кромсал ножницами ее новую ночную рубашку. Не нужно забывать, что дело происходило в Советском Союзе, где достать красивую вещь было затруднительно. А уж вещь, сделанная за рубежом, модная и элегантная, вообще могла занять место в музее семейных ценностей.

Эту ночнушку из натурального шелка, да еще украшенную удивительно нежным и приятным к телу кружевом, волшебно красивую и воздушную, да еще и называющуюся удивительным словом «пеньюар», подарила Эсфири одна ее знакомая, чей муж — оперный певец иногда ездил за границу с гастролями.

— Сама бы носила, но с ростом муж не угадал. Я в нее нипочем не влезу, даже коленок она мне не прикрывает, а тебе подойдет. Твое счастье, носи и радуйся.

И как раз в этот день Эсфирь хвасталась перед сестрой и подругой своей обновкой. А Гришу выставили из спальни. Пятилетний мальчик и так проявлял слишком нездоровый интерес к разным выпуклостям и впадинкам на телах своих тетушек. Гриша в ответ попытался сопротивляться, и Эсфирь выставила заартачившегося мальчишку, дернув того за ухо.

Видимо, Гриша всерьез на нее за это обиделся, вот и решил отомстить, изуродовав вещь, из-за которой его подвергли унижению. Увидев хозяйку изуродованного пеньюара, мальчишка бросил ножницы и отпрыгнул в сторону. Он понимал, что попался с поличным, но раскаиваться не собирался.

— Так тебе и надо, гадина! — неожиданно злобно крикнул он, добавил нецензурное слово, показал обомлевшей Эсфири язык и вылетел из комнаты, пока тетушка приходила в себя.

Но дальше дела разворачивались еще удивительнее. Пылая жаждой мести, Эсфирь вылетела следом за Гришей. Прихватила она с собой и улики — ножницы и испорченную сорочку.

— Мама, папа, посмотрите, что он наделал!

И тут Гриша поразил ее еще больше. Вместо того чтобы смутиться, мальчик сделал большие глаза и замотал головой:

— Это не я!

— Что ты врешь? Я видела, как ты ее резал!

— Я не резал! Это Миша порезал! А я хотел сложить кусочки обратно.

И кинувшись к профессору, мальчик горько зарыдал:

— Пожалуйста, не прогоняйте меня! Я знаю, что я вам чужой! Миша сказал, чтобы я молчал о том, что он сделал. А иначе он грозился сделать так, что вы никогда больше меня не позовете к себе!

— Что за глупости? — вскипел профессор. — Михаил, ну-ка, немедленно иди сюда!

Напрасно Эсфирь пыталась защитить племянника, говоря, что Миша не мог такого сделать или сказать. Напрасно. Миша как раз вошел в переходный возраст, и у него частенько случались всплески гормонов, когда он носился по квартире, хамил бабушке и вообще вел себя не очень-то красиво, впрочем, что свойственно многим находящимся в переходном возрасте подросткам.

Но Эсфирь была уверена, добрый Миша никогда бы не испортил вещь, которая была ей так дорога. На такое мог быть способен только маленький гадкий Гриша. Эсфирь вспомнила многие другие мелкие пакости, за которыми заставала племянника. К примеру, он любил мучить животных, находя какое-то садистское удовольствие в этих играх. А если животное кусало его или как-то иначе огрызалось, тут же мчался к профессору или его жене. Только за ними он признавал право карать и миловать, этого у него отнять было нельзя.

Также Гриша был очень развитым ребенком. Умным, хитрым, изворотливым. Он удивлял всех своих знакомых абсолютно правильной речью, но все впечатление портил каким-нибудь неожиданно циничным заявлением, уместным для взрослого человека, но невозможным для маленького ребенка.

Кира покивала и напомнила старухе:

— Вы сказали про убийство.

— Дойдем и до этого. Терпение.

В семье профессора Добрякова всегда были животные. Его супруга родилась и выросла в селе. Она привыкла, что с детства ее окружало множество всякой домашней живности, и в городе отчаянно скучала по прежней жизни. Последним ее приобретением был карликовый шпиц — Бабочка. Прелестная девочка попала в семью совсем крохой. Она обладала веселым и уживчивым характером, дружила со всеми, за исключением Гриши, которого либо обходила стороной, либо рычала на него.

— Странно, почему Бабочка так ведет себя с тобой? — удивлялся профессор.

— Это потому что на мне запах кошки, — оправдывался Гриша. — У нас во дворе много кошек. Мама посылает нас их кормить.

Все приняли это объяснение. И только Эсфирь подумала о том, почему же тогда Бабочка не лает на Мишу с Федей? Ведь братья ходили кормить кошек по очереди.

— И вот однажды Бабочка пропала.

Когда это случилось, жена профессора очень расстроилась. Она была больше других привязана к шпицу. Мальчики, видя горе бабушки, приняли активное участие в поисках Бабочки. Но найти собачку никому из них не удалось. Зато Гриша умудрился где-то поранить руку.

— За гаражи во дворе лазил, а там какая-то проволока. Вот и рассадил руку, да ерунда, заживет.

Но Эсфирь, которая обрабатывала раны мальчика, невольно заметила:

— Похоже на отметины чьих-то зубов. Тебя укусила собака?

— Капкан там ржавый валялся, — вырвался из ее рук Гриша. — Пружина сработала, мне и прищемило руку в нескольких местах.

Эсфирь ему не поверила. Она позвала подругу — Марту. Вдвоем они нашли какого-то мужика, который согласился за бутылку залезть за гаражи, посмотреть, что там делается. Надо сказать, что гаражей во дворе было всего три штуки. Но поставленные в разное время и разными хозяевами, они стояли так неудачно, что между их задними стенками оставалось небольшое пространство. Своего рода пятачок, никем не занятый и надежно прикрытый. Туда скидывали всякий старый хлам, который было лень тащить до мусорки. И конечно, и проволока, и даже ржавый, пришедший в негодность капкан там вполне могли находиться.

Но что-то заставило девушек усомниться в словах Гриши. Они не поскупились, но награда за упорство их ужаснула.

— Вот ваша псина, — передал сконфуженный дядька свою страшную находку. — Околела уж, бедняжка. Давно лежит, в проволоке, видать, задохнулась. Одного не пойму, как она там очутилась? Хоть и маленькая, а между гаражами вряд ли бы пролезла.

А вот подруги знали, как встретила свою смерть собачка. Они были уверены, что это Гриша затащил Бабочку, а потом долго издевался над собачкой и наконец придушил ее. Но перед смертью Бабочка все же дала отпор врагу, сумела напоследок укусить мерзавца.

С тех пор прошел уже не один десяток лет, но Марта Гербертовна до сих пор трепетала от гнева, переживая воспоминания юности. Кира молчала. Бесспорно, убийство маленькой и, в сущности, беззащитной собачки — отвратительный поступок. Во многих странах его даже назвали бы преступлением. Но у нас в стране в большинстве своем люди жестоки. Убийство домашнего животного по закону карается в лучшем случае штрафом. Да и потом, можно ли считать убийцу собаки способным на убийство человека?

— А что сказал сам Гриша в свое оправдание? Он ведь сам еще раньше признался, что искал за гаражами.

— Сказал, что нашел Бабочку уже мертвой. Не хотел нас расстраивать, вот и заявил, что не нашел. Дескать, хотел ночью достать ее и тайно похоронить, чтобы она навсегда осталась в нашей памяти живой, милой и веселой собачкой, а не холодным окоченевшим трупиком.

Профессор Добряков вновь растрогался, профессорша пустила слезу. Бабочку похоронили, а Марта Гербертовна навсегда поставила себе целью не находиться в одном помещении с Гришей. Сестры присоединились к этому решению. И с тех пор, когда Гриша появлялся в доме профессора, Эсфирь с сестрой демонстративно поднимались и уходили наверх к Марте.

К счастью для них, вскоре Гриша перестал появляться в семье профессора. Все были удивлены, почему он не приходит, а вот Марта знала ответ. Профессор умер, в стране началась перестройка. Былое благополучие профессорской семьи растаяло, как дым. Теперь вдова профессора и его дети сами нуждались в помощи. Ну а Гриша никому, кроме самого себя, помогать не собирался.

— Последнее, что я слышала от Миши, будто бы его брат продал квартиру, которую ему как самому младшему и обездоленному оставила Ирочка, а деньги вложил в какой-то бизнес.

— Это было давно?

— Лет двадцать назад. Или даже еще больше.

Да уж, подфартило! Увы, сведения, покрытые пылью лет, Киру не интересовали.

— И больше вы ничего о Григории не слышали?

— Не слышала и не желала слышать! Этот человек навсегда остался в моей памяти как мучитель и убийца бедной Бабочки!

Кира в ответ только вздохнула. Она провела с соседкой почти два часа, а не услышала от нее ни грамма полезной информации. Убийство Бабочки никак не могло вывести ее на след преступника, прикончившего Михаила. Да и в качестве компромата на Григория этого было слишком мало.

Даже если предположить, что добытую во время следствия некую нелицеприятную информацию о Григории Селиванове можно будет использовать против него в борьбе со строительной компанией «Эрнст», все равно убийство собачки, к тому же недоказанное, слишком слабый аргумент в споре с такими акулами. Даже вовсе не аргумент. Выйдешь с таким, пожалуй, что еще и засмеют.

Впрочем, у Киры оставалась надежда, что другие близкие Грише люди смогут рассказать о нем больше.

— А как была фамилия отца Федора?

— Пельцер. Вот он как раз был настоящий стопроцентный еврей. При первой же возможности эмигрировал из нашей страны.

— У вас сохранились какие-нибудь координаты Федора и его родных?

— Нет, мальчик перестал приходить в дом профессора примерно в то же время, что и Гриша. Последний раз я видела обоих братьев на похоронах профессора.

Вот ведь странно, Грише старуха ставила это в вину, а про Федора даже не заикнулась, что он некрасиво поступил. Видимо, Федор был у Марты Гербертовны в любимчиках. Тихий и умный еврейский мальчик, он интуитивно знал, как себя вести и что говорить, чтобы выглядеть хорошо при любых обстоятельствах.

По дороге домой Кира вспомнила, что обещала Лесе закупить продукты к ужину. Завернув к гипермаркету, она набрала номер подруги и выпалила:

— Я уже в магазине, что купить?

— На ужин крабы в экзотическом соусе из тропических фруктов. Морепродукты в кокосовом молоке. И обязательно пять видов десерта и мороженое десяти сортов.

Кира похолодела... «Это в какую же сумму влетит ужин для Лисицы? И где достать для него продукты? И вообще, зачем мороженое десяти сортов, если Лисица предпочитает лишь два сорта — шоколадное и ванильное? Их и надо брать, зачем же еще восемь? Да и где она раздобудет кокосовое молоко? В тех орехах, которые лежат на прилавках магазинов, оно вряд ли найдется».

Крабы в супермаркете не нашлись, только живые раки, экзотические фрукты были представлены несколькими коробочками с уродцами, название которых Кира с трудом прочитала. Мороженое и готовые десерты в количестве, ей указанном, Кира в свою тележку побросала. Оставался вопрос с кокосовым молоком. Но так ли оно уж нужно для задуманного Лесей ужина?

Но решив, что Лесе должно быть видней, Кира перезвонила подруге и робко поинтересовалась:

— Можно взять консервированный кокосовый сок? Или обязательно нужен свежий?

— Ты с ума сошла? Зачем он нам?

— Я? По-моему, это ты сошла! Диктовать мне такой невероятный список!

— Какой список? Я даже не успела тебе ничего сказать, как ты уже отключилась.

— Так ты не для меня про крабов говорила?

Леся откашлялась и объяснила:

— Клиенты передо мной сидели. Интересовались, что в своих пяти звездах на ужин получат. Вот я им и объясняла примерное меню.

Поняв, что чуть было не стала жертвой недоразумения, Кира быстренько раскидала свои покупки обратно по их местам и вновь отправилась вдоль рядов, закупая уже те продукты, которые диктовала ей Леся. На сей раз список оказался вполне разумным. Он также включал свежие рыбьи головы для Фантика и Фатимы. В последнее время кошки начали отказываться от мяса свежей рыбы, но вот чуточку подпорченные головы форели хрумкали с явным удовольствием.

Дома девушки оказались одновременно. Маршрутки до «Чудного уголка» ходили бесперебойно, так что Леся, добираясь до поселка, не испытала никаких затруднений. Она сразу же сунула нос в пакеты с купленными Кирой продуктами и одобрила их.

— Молодец. Мяса взяла, как я тебе и говорила, три кило?

— Пять. Три — это свиная шейка. Два — это говяжья вырезка. И еще утку прихватила на всякий случай.

— Вообще здорово! Утку оставим на завтра, она все равно заморожена. А начнем с мяса, оно просто отличное.

Леся быстро разрезала говяжью вырезку на порционные куски, которые принялась азартно отбивать. Кира поспешно прикрыла все свободное пространство вокруг Леси пленкой, полотенцами и вообще всем, что нашлось под рукой и что легко потом можно было отмыть. По опыту она могла сказать, что уже после десятой отбивной Леся покроется мелкими красными точками. Но если вымыть Лесю не представляло особой трудности, то отмыть брызги с поверхности соковыжималки и шершавой поверхности плитки было весьма затруднительно.

— Отобью сразу побольше, — пыхтела Леся. — Чтобы и на завтра тоже хватило.

— Завтра ты обещала утку.

— Утка будет вечером. А ты режь шею.

— Что?

— Режь, говорю, свиную шею. Ее еще надо замариновать.

Кира не стала спорить. Аппетит у Лисицы был хороший. Он был вполне способен умять все два кило вырезки и три кило шеи, если не в один присест, то за два подхода — совершенно точно.

Действуя вместе, подруги очень быстро управились с горой мяса. Но им было не жаль потраченных усилий. Они хорошо знали, мужчина будет доволен ужином лишь в одном-единственном случае, если обнаружит на своей тарелке натуральный мясной бифштекс.

— Теперь нужен лук кольцами!

Лук тут же был подан.

— Теперь посолить, поперчить, залить стаканом сухого вина, и пусть мясо маринуется.

— Предлагаю устроить вечеринку в саду. Разожжем гриль, поджарим мясо на углях. Это и вкуснее, и придаст нашему ужину нужную торжественность. И в то же время романтичность.

Леся не возражала. Закончив с мясом, она тут же отправилась к грядкам за свежей зеленью.

Между тем Кира порубила в салат молоденькие огурчики и розовые помидорчики. В теплице у Леси первые появлялись уже в июне. Помидоры поспели следом за огурцами всего спустя неделю-две. Но зато и плодоносили кусты вплоть до октября месяца. Ни заморозки, ни холод не были им препятствием. Теплица из поликарбоната была такой теплой и так нравилась растениям, что они совершенно не обращали внимания на то, что вокруг них уже осень.

Но как уже говорилось, сейчас было начало лета, и помидоры еще только-только начинали розоветь. Впрочем, на их вкусе это совсем не сказывалось. Даже в недозрелых помидорах со своего огорода было все равно куда больше вкуса, чем в покупных магазинных — глянцевых и каких-то неестественно-красных. Эти помидоры не дозревали даже положенные на окно. Они там быстро портились.

Как и ожидали подруги, Лисица появился, когда над их участком разнесся аромат жареного на углях мяса. Правда, заходить стеснялся. Махал руками и призывал к себе Киру.

— А я не один, — сообщил он ей шепотом. — Ничего?

— А с кем ты?

Кира с любопытством выглянула на улицу, где стояла машина Лисицы. С тех пор как Лисица приобрел себе «Мазератти», Кира не знала, что и ожидать от приятеля. На такой машине даже конопатый Лисица смотрелся как король. Может быть, привез невесту?

Но вместо длинноногой красотки в машине сидел пухленький светловолосый мужчина. На вид ему было лет тридцать. И он сразу же понравился Кире. Было в нем что-то простодушное и детское, что сразу же привлекало к нему сердца людей.

— Это Эдик, — пояснил Лисица. — Мой... коллега. Он живет с родителями, а они уехали на месяц к морю. Эдик уже неделю тоскует на пельменях, котлетах и гамбургерах. Очень хочет домашнего супчику. Можно ему к нам присоединиться за ужином?

— Ну конечно! — не задумываясь, воскликнула Кира. — О чем речь!

Лисица повеселел и сделал знак Эдику. Тот просиял улыбкой до ушей. Но не вышел, пока не извлек огромный пакет. И перед Лесей он появился с подношением, содержимое которого приятно удивило подруг, когда они сунули в него носы. В пакете была икра, свежий зерновой хлеб, от которого еще исходило тепло печи, виноград, персики, груши и четыре бутылки французского вина, и не просто столового компотика, а напитка от очень приличных виноделов.

— Это к столу, — стыдливо улыбаясь, произнес Эдик. — Лисица сказал, что зелени и овощей не нужно, но фрукты и вино не помешают.

Подруги с изумлением рассматривали икру. Она была трех видов. Мельчайшая красная икра кеты, зернистая черная и золотистая икра щуки.

— Щучья икра в царские времена на Руси считалась особым деликатесом. Осетровых рыб было в избытке, черная икра считалась едой для черни — батраков и крестьян. А вот золотистая щучья подавалась к царскому столу. Я увидел ее в магазине и захотел попробовать.

Что же, подруги были не против. И щучья икра, запаянная в красивую баночку, и Эдик им обеим понравились. Эдик был мил и улыбчив. Правда, говорил он мало, но по делу. А вот слушал зато внимательно и умел к месту отпустить нужный комплимент. И хотя появление Эдика у них за столом несколько мешало планам подруг раздобрить Лисицу вкусной едой и ласковыми словами, но они быстро пересмотрели свои планы.

— В конце концов, Лисица не такой уж и вредный. Он всегда помогал нам в наших расследованиях. Если мы расскажем ему про беду, в которую угодили Лариса с мужем, он может тоже захотеть им помочь. И не понадобятся никакие наши ухищрения.

— Ну, кроме вкусного ужина.

Но пока до откровенного разговора было еще далеко. Мужчины налегали на мясо с салатом. Леся оказалась права, когда приготовила все мясо. Аппетит Эдика лишь немногим уступал аппетиту Лисицы. И три килограмма ассорти из вырезки и шеи таяли на глазах.

Лесе также пришлось еще дважды сходить в теплицу. Она оборвала там все более или менее розовые помидоры, сорвала все огурцы, оставив лишь крохотные, в мизинчик размером. И все равно опасалась, что угощения может не хватить. И зачем она два дня назад оборвала достигшие зрелости огурцы и замариновала их в двух литровых банках? Не выставлять же теперь их на стол? Хотя с другой стороны, почему бы и нет?

Маринованные огурчики пришлись мужикам по вкусу. Они уже давно перешли на какую-то загадочную тутовую водку, которую пили, молитвенно закатив глаза к небу. Девушки из любопытства тоже выпили по рюмочке этого напитка богов. Водка была и впрямь очень необычной. Она казалась сладковатой, мягко обволакивала пищевод, но при этом не вызывала никаких неприятных симптомов.

— Эту водку пьют натощак при язве желудка. Сушит ее за две недели.

Раньше девушки только слышали об этом рецепте и находили его весьма странным. Как это — с болячкой на слизистой желудка еще и нагружать его спиртом? Но теперь, попробовав водку из плодов шелковицы, они были расположены к этому рецепту куда более. А после второй пробы поняли, что, пожалуй, даже согласны с народными целителями. Именно эта водка и могла вылечить язву.

— А сколько же она стоит? — из любопытства поинтересовалась Кира.

И услышав цену, быстро поняла, почему эту водку пьют почти исключительно в виде лекарства.

Эдик уже давно подсел поближе к Лесе. И глядя на этих двоих, отделенных от нее пламенем костра, который разжег Лисица на гриле, чтобы обжечь решетку и дополнить романтику вечера, Кира невольно подумала, как хорошо смотрятся они вместе. Оба невысокие, светловолосые, аппетитно кругленькие. Вот если бы Леся оставила свои капризы да и вышла замуж за

Эдика, наверняка из него получится бы хороший муж.

Ну а Кира тогда могла бы... смогла бы выйти замуж за Лисицу. Конечно, насчет Лисицы у Киры не было точной уверенности, что из него получится хороший муж, но хоть какой-то муж, наверное, мог бы получиться и из него тоже. Как сказала одна из актрис в бессмертной комедии Леонида Гайдая: «Все-таки он мужик, и на нем штаны».

— Лисица, знаешь, у меня есть к тебе один вопрос.

— Какой?

Лисица отвлекся от поддержания огня на гриле и внимательно смотрел на Киру. Взгляд у него был какой-то затуманенный и мечтательный. Кажется, Лисица хотел услышать сегодня от своей подруги нечто особенное. Но даже пример Эдика и Леси, уже сидевших в обнимочку, не смог заставить Киру произнести то, чего, возможно, ждал от нее Лисица.

И вместо того чтобы сказать Лисице, какой он славный, сильный, верный и мужественный, Кира открыла рот и ляпнула:

— Знаешь, а мы с Лесей начали новое расследование...

Глубокий вздох, который вырвался у Лисицы, ясней ясного показал Кире, что приятель ждал от нее совсем не этих слов.

И тем не менее она все же продолжила свою мысль:

— Так вот, мы с Лесей начали дело против одного очень влиятельного и богатого человека.

Его фамилия Селиванов, зовут Григорий, а прозвище...

— Распутин.

— Ты его знаешь?

Лисица кивнул, но лицо его окончательно омрачилось.

— Я всегда снисходительно относился к вашим детективным историям, но, честное слово, сейчас вы зашли слишком далеко. Гришка Распутин вам не по зубам!

— Но дело в том...

— Не важно! — рассердился Лисица. — Если я сказал «не суйтесь к этому типу близко», значит, у меня есть на то причины! Я не паникер, но Гришка Распутин — это для вас уже слишком!

— Понимаешь, у этого человека есть строительная компания, которая...

— У него много чего есть. И строительные компании, и банк, и куча трупов на счету! Я требую, чтобы вы забыли про этого человека!

Столь категоричен Лисица был впервые. И Кира, честно говоря, несколько опешила.

— Но Лариса с Богданом...

— Это еще кто такие?

— Лариса — наша подруга. А Богдан — ее муж. Мы тебе о них рассказывали. Они живут неподалеку от нас. Построили себе домик возле леса и...

— А-а-а... мои тезки, Лисицыны. Да, да, теперь припоминаю. И что с ними? Селиванов угрожает вашей подруге?

— Да. Ей самой, ее покою и ее дому.

— У вашей подруги есть муж, пусть он о ней и ее доме и позаботится.

— Но он не может!

— Сожалею, но тут никто ему не поможет. Во всяком случае, я точно не знаю таких людей, которые бы вступились за ваших Лисицыных.

— Но ты ведь слышал про этого Григория Селиванова?

— Да. Я про него знаю.

— А нам расскажешь? Ведь этот Селиванов — настоящий преступник.

— Я в курсе. И все же повторяю, нет! Я запрещаю вам даже близко соваться к этому типу!

Лисица отвернулся обратно к ярко полыхающему огню. Говорить о Григории Селиванове он дальше не собирался. И лицо у него сделалось такое окаменевшее, что просто жуть. Кира знала, когда у приятеля такое вот лицо, к нему лучше не лезть. Надо поговорить с ним на отвлеченные темы, сделать вид, что смирилась с его решением. Тогда возможно... возможно, что когда-нибудь...

И тут же Кира пресекла свои мысли. Нет, никогда Лисица не скажет «да», если уже раньше сказал «нет». Он не из тех людей, которые отказывают. Но если уж отказал, дальше тут что-то доказывать просто бессмысленно. Надо расслабиться, и пусть все идет как идет.

Кира подсела к Лисице поближе и стала вместе с ним смотреть на огонь. Она чувствовала, как плечо сидящего рядом приятеля постепенно становится мягче. Лисица уже отошел от своей вспышки гнева. Теперь с ним снова можно было разговаривать, но только не на тему Селиванова.

— Как у вас замечательно! — услышала Кира голос пьяненького Эдика, который почти спал на плече у Леси.

При виде этой картины глаза Киры хищно сверкнули в темноте. Ладно, пусть Лисица упрямится и дальше. Она все равно найдет способ выяснить правду про Селиванова и его семейку. Было крайне неосмотрительно сразу же выложить Лисице все. Но в случае с Эдиком подруги такой ошибки не допустят.

И улучив минутку, Кира отвела свою подругу в сторонку и велела ей:

— Делай что хочешь, но чтобы Эдик остался у нас ночевать!

— Он и сам уже мне намекал на это. Но мне кажется, что еще слишком рано. Мы с ним только сегодня познакомились.

— Положим его на диване в гостиной. Лишь бы остался у нас.

— А зачем тебе это?

— Надо. Верней, это даже нужно не мне и не тебе, а Ларисе с Богданом.

И Кира рассказала подруге о том, как Лисица наотрез отказался помогать им.

— Может быть, он и прав?

— Конечно, он прав, — отмахнулась Кира. — Кто бы спорил? Но нам-то с тобой надо помочь Ларисе. А для этого нам надо выяснить всю подготную Селиванова. И про его братьев тоже. Про Михаила у нас теперь кое-какая информация имеется, а вот Федор для нас просто темный лес. Марта Гербертовна не знает о нем ничего полезного, кроме фамилии. Уговори Эдика остаться, мы должны с ним побеседовать.

— О чем?

— Я хочу, чтобы он помог нам добыть всю информацию о родных Селиванова, которая хранится у Лисицы в компьютере.

— И как он нам в этом поможет?

— Лисица сказал, что они с Эдиком коллеги. Небось у них друг от друга никаких тайн нету.

Но для осуществления этого плана было мало желания одного Эдика и желания самих подруг. Девушкам требовалось еще устранить Лисицу, который был категорически против того, чтобы в его тайны влезали посторонние. И поэтому девушки принялись действовать.

Основная трудность по устранению Лисицы заключалась в том, что, когда в доме гостили посторонние, Лисица спать не ложился, пока не устраивал последнего гостя на ночлег. Желательно напоив того до умопомрачения. Так Лисица понимал гостеприимство. И теперь он никак не хотел отцепиться от Эдика, который уже и так выглядел достаточно «накушавшимся».

— Мне кажется, его надо отвести в дом, — первой заметила Кира. — Он совсем вырубается.

Лисица недолго пытался растормошить гостя. Быстро понял, что это дело зряшное, и сдался.

— Эх, Эдька, знал бы, что ты такой слабак, не стал бы тебе наливать!

При этом Лисица и сам плохо держался на ногах. Его пошатывало из стороны в сторону, словно под порывами ветра. Тутовая водка оказалась крепкой штукой, так что она буквально свалила обоих мужиков с ног.

— Я постелю Эдику в гостиной, — вызвалась Леся, подмигнув Кире.

Лисица воспринял предложение Леси с благодарностью. И с помощью Лисицы девушки дотащили Эдика до гостиной, после чего Леся провожатых выгнала.

— Идите, присмотрите за огнем. А тут уж я сама... сама разберусь.

Кира потянула Лисицу за собой, и тот послушно пошел. Он вообще сегодня был удивительно податливый, словно бы недавняя вспышка гнева исчерпала весь запас его сил. Он позволял Кире вести себя в сад за руку, словно ребенка. И улыбался при этом до того странно и мечтательно, что Кира обязательно бы в другой раз поинтересовалась о причине столь странной эйфории. Но сегодня такое состояние приятеля ей было только на руку, и поэтому она промолчала.

Они вновь сели у огня, и Лисица заговорил сам:

— Знаешь, иногда мне кажется, что я знал тебя всю свою жизнь. И даже больше того! Мне кажется, будто бы мы и раньше были уже знакомы.

— Когда это «раньше»?

— В прошлой жизни, — совершенно серьезно ответил Лисица. — А разве ты ничего такого не чувствуешь?

Кира пожала плечами.

— И чем мы занимались в прошлой жизни? Кем мы были? Где работали?

— Разве это важно? Нет, Кира, важно совсем другое.

— И что же?

Но Лисица уже снова замолчал.

— Смотри лучше на огонь, — велел он Кире, когда та попыталась снова задать ему вопрос. — Смотри и молчи, может, тогда что-нибудь и сама вспомнишь.

Заинтригованная Кира уставилась на огонь. Но извивающиеся языки пламени не помогли ей вспомнить свое прошлое. Может быть, потому, что Кира никак не могла отвлечься от настоящего? Краем уха она все время прислушивалась к тем звукам, которые доносились из дома.

Успела уже Леся растрясти хватившего лишку Эдика? Или парень так и заснул без всякой пользы?

— Быть того не может, чтобы бодрящий Лесин напиток не сработал, — пробормотала себе под нос Кира.

Кира знала, о чем говорила. Для сильно захмелевших пьянчуг у Леси имелся под рукой особый эликсир. В этот напиток помимо черного чая входило еще до двадцати составляющих. В их числе была полынь, красный жгучий перец, элеутерококк и еще какие-то травы, названия которых Кира уже не помнила. Но выпив один-единственный глоток этого пойла, заснуть было уже невозможно. Напиток бодрил почище всякого кофе. Но пока что условного сигнала Кира не слышала, и это ее тревожило. Почему Леся тянет?

Внезапно из дома донесся дикий вопль. Лисица вздрогнул и вскочил на ноги, а Кира мысленно похвалила свою подругу. Молодец, Леся! Ее фирменный «взбодритель» показал свою силу и на сей раз.

— Что это у них там?

— Ах, да какая разница! — лениво потянулась Кира. — Сядь со мной, успокойся.

— Нет, надо поглядеть.

— Не надо тебе никуда идти. Садись рядом.

Лисица машинально сел, но выглядел все равно встревоженным.

— Пойду! — попытался встать он снова.

Но Кира была начеку. Она знала, «взбодритель» сработал, Эдик теперь способен внятно разговаривать. Сейчас ни в коем случае нельзя пускать Лисицу в дом. Иначе он завалит подругам всю их операцию. И тогда, чтобы задержать приятеля, Кира сделала нечто, удивившее ее саму. Она крепко обвила руками шею Лисицы и поцеловала его прямо в губы.

Губы у Лисицы оказались неожиданно нежными и податливыми. Он не оттолкнул Киру, хотя выглядел изрядно пораженным. Но он не растерялся. И спустя всего несколько секунд с силой прижал девушку к себе и выдохнул ей прямо в ухо:

— Ну, наконец-то! А я уж думал, что ты никогда на это не решишься!

Целуясь с Лисицей, девушка буквально сгорала от стыда. Что она делает? Разве можно первой бросаться в объятия мужчины?! Теперь приятель возомнит о себе невесть что. А ведь ей всего-то и надо было задержать его рядом с собой. Остается надеяться только на то, что завтра утром Лисица не будет ничего помнить. И когда эта мысль посетила Киру, все остальное вдруг стало совсем не важно. И она отдалась окутавшей ее ночи со всей доступной ей страстью.

ГЛАВА 9

Однако следующее утро началось для подруг совсем не так, как они ожидали. Вместо того чтобы встать по звонку будильника, заведенного на девять утра, они ни свет ни заря были безжалостно разбужены надрывающимися телефонными трелями. Звонили сразу три телефона — домашний и оба сотовых.

— Что там? Пожар?

Но оказалось, что хотя и не пожар, но близко к тому. Леся первой добралась до телефона. И выслушав несколько коротких фраз, повернулась к подруге с перекошенным лицом.

— Это Лариса звонит! Ее дом сносят!

— Как? — поразилась Кира. — В четыре утра?

Но девушки не стали тратить время на разговоры. Надо было мчаться на помощь подруге и ее мужу. Хорошо еще, что от поселка до коттеджа, который выстроили себе Лисицыны, было от силы полчаса езды. Ночью Кира пролетела это расстояние за четверть часа.

Когда девушки подъезжали к коттеджу, то еще издалека заметили необычайное оживление на местности. Горели огни, раздавались команды в громкоговоритель. Какие-то люди в форме рабочих строителей суетились и бестолково бегали взад и вперед.

Коттедж Лисицыных был ярко освещен огнями прожекторов. В их свете были хорошо видны маленькие фигурки хозяев дома, мечущихся внутри от одного окна к другому.

— Лариса! Богдан! Мы тут! Мы с вами!

Подруги побежали к коттеджу, но им наперерез кинулся какой-то бородатый мужик.

— Стойте! Туда нельзя! Сейчас бульдозер уже пойдет!

И он ткнул пальцем в огромную машину, пока что неподвижную, но с заведенным двигателем и угрожающе поднятым ковшом.

— Вы не имеете права!

— Дом подлежит сносу. Вот документы! Все по закону.

— В доме люди! Хозяева!

— Так уговорите их выйти. Поймите, это в их собственных интересах!

— Я бы вам сказала, что в их интересах, — обозлилась на бульдозериста Кира. — Да боюсь, вы такое про себя слушать не захотите.

Бородатый почесал затылок и неожиданно жалобно произнес:

— Девчонки... ну, вы меня тоже поймите. Мне Богдана чисто по-человечески очень жаль. Хороший он парень. Но что я могу поделать? Работа есть работа.

— А если вам людей убивать прикажут, вы тоже свалите на свою работу?

— Так ведь это... того... выйдут же они когда-нибудь. Я вообще обалдел, когда их обоих в доме увидел. Эрнст мне поклялся, что в доме никого не будет. Дескать, он им звонил, они отдыхать уехали. Дом пустой, можно его сносить.

— И вам не показалось странным, что люди, чей дом должны вот-вот снести, отправились спокойно отдыхать?

— Так ведь это... люди, они разные. У всех свое разумение.

Подруги ничего не ответили. Они прямо направились к дому, дверь которого гостеприимно распахнулась им навстречу. Но едва лишь девушки вошли, как Богдан запер дверь изнутри.

— Вот и хорошо, теперь нас уже четверо, — произнес он. — Небось с четверыми будет им справиться потруднее.

— Сейчас еще люди подтянутся, — добавила бледная Лариса. — Мы всем своим друзьям и родным позвонили. Но вы первые, кто откликнулся. Спасибо вам!

Но Кира не стала преувеличивать своей заслуги.

— Просто мы живем ближе остальных, — сказала она. — А что случилось-то?

— Вы сами не видите? Этот Эрнст — гад ползучий — решил действовать, не дожидаясь нашего согласия на переезд.

— Эрнст звонил нам вчера весь вечер. Требовал, чтобы мы дали ответ, когда съедем из дома.

— И чтобы от него отвязаться, мы сказали, что уехали отдыхать. Вернемся только через несколько дней, тогда и озвучим ему свое окончательное решение.

— Зачем вы ему соврали?

— Хотели время потянуть. А оно вон как обернулось.

Решив, что хозяева оставили дом без присмотра, а сами находятся за тридевять земель, Эрнст решил действовать и дал команду бульдозеристам. Сказал им, что в доме никого не будет, и послал машину на ночную работу.

— Нам повезло, что Богдан не поскупился и выставил рабочим много водки. И сам с ними пить уселся. Они это оценили.

Поэтому, когда водитель бульдозера понял, что сейчас ему придется рушить дом своего приятеля, он сделал доброе дело и звякнул Богдану. Предупредил того, что в ближайшие часы решится судьба его жилища.

— Мы сразу же зажгли свет во всех окнах, чтобы рабочие видели, что мы в доме. Позвонили всем своим близким, закрыли окна и двери и стали ждать. Они хотят извлечь нас из дома и разрушить его. А наша задача — продержаться тут до прихода подкрепления.

— Если понадобится, мы будем драться, — воинственно добавила Лариса, которая отнюдь не казалась сломленной.

В течение часа к дому прибывали все новые и новые люди. Обе враждующие стороны подтягивали к себе силы. Приехали родители Ларисы и Богдана, разбудив и вытащив из постелей всех знакомых юристов, адвокатов и даже одного прокурора приволокли. Это был брюзгливого вида неопрятный старик, без мундира, хмуро смотрящий по сторонам и явно только и дожидающийся момента, чтобы выместить на ком-то свою злобу.

Приехали также друзья Богдана, которых было немало и из которых запросто можно было сформировать небольшое воинское подразделение. Эти ребята тут же принялись объяснять рабочим, в какое грязное дело пытается втянуть их начальство. Говорили они много и так убедительно размахивали у тех перед носом своими руками с крепко сжатыми кулаками, что рабочие, сначала державшиеся с вызовом, начали отводить глаза и пятиться.

Приехал и виновник ночного переполоха — Эрнст. Ему уже доложили, что его задание под угрозой срыва. Снос дома с самого начала пошел не по плану, хозяева оказались внутри, а сносить стены вместе с живыми людьми, да еще на глазах многочисленных свидетелей, никто не соглашался.

Эрнст также приехал не один, вместе с ним прибыл сморщенный старичок, по виду брат-близнец вредного прокурора, которого притащили родители Ларисы. Увидев друг друга, старые крючкотворцы, словно два филина, радостно ухнули и кинулись навстречу, размахивая папками и бумагами, обильно оснащенными синими печатями. Схватка прокурора и юрисконсульта была жаркой. Правда, удары они наносили вербально, но те от этого не делались мягче.

— Согласно судебному постановлению за номером...

— Произвол и бесчинство, вот что это такое!

— Снос дома — это дело решенное в законном порядке.

— Взяточничество и коррупция!

— Строения возведены незаконно.

— Разберемся с вами в суде!

— Тут будет выстроен новый поселок! Строительство его согласовано на всех инстанциях!

— Но жилье лично вам будет обеспечено уже в тюрьме!

Пока юристы спорили между собой, Эрнст незаметно подкрался к бульдозеру и забрался в кабину. Эту его выходку все заметили лишь после того, как бульдозер взвыл, опустил ковш и начал двигаться в сторону дома. Среди окружавших дом людей началась паника.

— Что он делает?

— В доме люди!

Мать Ларисы кинулась к дому и принялась дергать за дверь:

— Доча, выходи! Выходи, пусть Богдан дом сторожит. Он — мужик! А тебе еще детей рожать!

Но тут подоспела мама Богдана.

— Что вы такое говорите? Богдаша, выходи первым!

— И Ларису выводи!

— Там ведь с вами еще девочки? Вот пусть они и остаются!

— Все равно обе незамужние и бездетные!

Здоровый эгоизм матерей, каждая из которых стремилась уберечь свое собственное дитя от гибели, был подругам понятен. Но легче им от этого не становилось. Выходит, по мнению окружающих, они какие-то второсортные особи? Их обеих запросто можно принести в жертву, сохраняя жизнь супружеской пары?

Но к чести Богдана и Ларисы, они даже ухом не повели в ответ на призывы своих матерей.

— Мы останемся тут! Это наш дом!

И повернувшись к подругам, Лариса сказала:

— Если кто и должен отсюда уйти, так это вы, девочки. Спасибо вам за все, но гибнуть ради нас вы не должны.

Леся покачала головой:

— Мы никуда не уйдем.

Ситуацию спас парнишка — двоюродный брат Ларисы, которого взяли с собой, потому что просто побоялись оставить мальчишку одного дома. Он выскочил прямо перед двигающимся бульдозером, снимая все на камеру.

— В Сети все обалдеют от такого видео! — восхищенно восклицал он. — А все пацаны просто офигеют. Эй, дяденька, посмотрите сюда, вас сейчас весь мир видит! Эй, кому говорю, сюда смотрите! В камеру!

Но Эрнст уже остановил бульдозер. Светиться перед всем миром в качестве убийцы сразу четверых человек ему явно не хотелось. Он вылез из кабины машины, а разочарованный парнишка еще и швырнул в него комом грязи. Он промазал, ком отскочил от железного бока машины, не оставив на нем даже вмятины. Но этот поступок опять же послужил сигналом для остальных. Люди принялись закидывать машину камнями, мусором и палками.

Кто-то принес упаковку яиц, откуда-то появились помидоры и пакеты с испорченным кефиром. Всего через несколько минут бульдозер превратился в некое абстракционистское полотно, напоминающее бред сумасшедшего. Истратив все свои метательные заряды, защитники Ларисы и Богдана встали цепью перед их домом. Взявшись за руки, люди хмуро смотрели на противников, давая тем понять, что никуда они отсюда не уйдут. И сегодня тем снести дом не удастся.

Видимо, люди Эрнста тоже это поняли. Потихоньку они начали отступать. Первым укатил Эрнст, которому все же досталось помидорчиком по физиономии и под глазом которого сейчас зрел приличных размеров синяк. Следом за ним укатили на своих иномарках юристы, забрав разгоряченного старика. И последними ушли рабочие. Они двигались во главе с перемазанным всем, чем только можно, бульдозером и напоминали остатки побежденной армии Наполеона.

Когда последний из них скрылся за деревьями, победители разразились торжествующими криками. Ларису с Богданом обнимали все подряд. Несколько поцелуев от родных досталось и подругам. Но те никак не могли забыть, что эти же люди предлагали оставить их на погибель, а самим спасаться, и поэтому быстро собрались и уехали.

В конце концов, у них имелась идея, как спасти дом Ларисы и Богдана, и чтобы никто больше при этом не пострадал. Торжество защитников они считали несколько преждевременным. Если не устранить главного виновника — Григория Селиванова, то Эрнст и ему подобные так и будут тревожить людей.

— Вчера вечером мне удалось разговорить Эдика. После того как он выпил мой «разбудитель», он сделался очень разговорчивым.

Средство подействовало даже лучше, чем ожидала Леся. Эдик совершенно протрезвел и выразил желание свернуть для Леси горы, перепахать поля и если понадобится, то и повернуть реки вспять. Одним словом, Эдик был не вполне трезв, думал, что влюбился, и этим его состоянием следовало воспользоваться, пока оно не прошло.

— Одним словом, если говорить вкратце, то тот код, которым Лисица закрыл базу данных с информацией на Селиванова и Добрякова, Эдик взломать отказался. По его словам, у них в отделе о начальнике ходят самые невероятные слухи. Пытаться ему противостоять Эдик не захотел.

— Постой, — перебила подругу Кира. — При чем тут какой-то начальник Эдика? Мы ведь говорим про Лисицу и его базу данных!

— А он и есть начальник.

— Кто?

— Лисица!

— Чей начальник?

— Эдика и всего их отдела. Ты что, не знала?

Кира помотала головой.

— Можно подумать, ты знала!

— Со вчерашнего вечера, — гордо отозвалась Леся. — Представляешь, наш Лисица — уже начальник отдела! Правда, у него в подчинении всего пять человек, но ведь и это достижение?

— А какого? Какого отдела он начальник? Чем конкретно занимается Лисица?

Увы, этого Эдик, несмотря на всю свою влюбленность, не сказал. И вообще, говоря много о своей работе, он удивительным образом ничего не говорил. Подруги уже сталкивались с такой особенностью некоторых людей. К примеру, Таракан, если ему задавать вопросы о его службе, пускался в воспоминания полувековой давности, которые в наши дни не могли уже принести никому вреда. Да и Лисица, стоило ему связаться с Тараканом, сильно изменился. Раньше подруги знали о каждом его шаге, Лисица ничего от них не скрывал. А теперь они узнавали лишь об отдельных, никак между собой не связанных эпизодах.

Но несмотря на свое явное нежелание говорить о делах служебных, Эдик пылал чувствами и желал всячески угождать Лесе.

— Так что я ему сказала, что Леонид Пельцер — это мой дальний родственник, который в семидесятых годах прошлого столетия эмигрировал из страны, его семья — жена и сын — собирались эмигрировать вместе с ним. И мы, не одобряя этот их антисоветский поступок, потеряли с ним всякую связь.

— Ерунда какая-то!

— Ничего не ерунда! Тетя Эмма, жена моего дяди Саши, увезла его с собой в Израиль в те же годы. Так что ты думаешь, наши патриархи начали с ними общаться лишь только сейчас, когда в Израиле стало все плохо! Когда там было хорошо, они их и знать не желали.

— И что с Леонидом Пельцером? Верней, уже можно сказать, что там с твоим дядей Леней?

— Эдди сказал, что он попытается найти его следы. Наведет справки.

— И когда это будет?

— Он обещал поторопиться. А потом... потом сам предложил поискать родственников дяди Лени, которые могли вместе с ним и не эмигрировать.

— И... и что?

— А вот!

И жестом знаменитого фокусника Леся извлекла из сумочки маленький желтый квадратик бумаги, густо исписанный убористым, округлым, очень четким почерком.

— Адреса и явки всех родственников Леонида Пельцера, оставшихся в Советском Союзе! Два адреса, три телефона, пять имен!

— Адрес его сына, Федора, тут есть?

— Да!

— Так поедем прямо сейчас к нему!

— Подожди. У меня есть еще адрес и телефон детей Федора — Анны и Виктора Селивановых.

— Почему они Селивановы? Федор ведь, наверное, носил фамилию своего отца — Пельцер?

— Только до того, как последний эмигрировал из Советского Союза. В тот же год мать Федора — Ирина, вышла замуж в третий, и последний, раз за гражданина Селиванова. Он и усыновил Федора, дав мальчику свою фамилию.

— Почему Селиванов усыновил только Федора?

— У Миши отец был в наличии. Пусть Ирина и считала первого мужа непутевым мечтателем, но он имелся в наличии и о сыне своем заботиться не отказывался. А вот Леонид сбежал в Америку, связь с ним прервалась. Ирина решила, что пусть лучше сын носит фамилию отчима, чем предателя-отца.

— Мексиканские страсти. По-моему, просто глупо.

— Вполне в духе матери трех мальчиков. Разве ты еще не поняла?

Подругами было решено ехать к племянникам Селиванова, которые и сами носили фамилию своего дяди. Хотя их домашний телефон издавал лишь длинные гудки, в душах подруг теплилась надежда разузнать что-нибудь о молодых людях у их соседей.

— А под какой фамилией жил Федор дальше? Селиванов или Пельцер?

— Первые годы своей жизни он был Пельцером, потом по настоянию матери стал Селивановым, но в возрасте сорока лет вновь сделался Пельцером. А дети его остались записанными на прежнюю фамилию их отца — Селивановыми.

— Почему?

— Спроси чего полегче.

Как подруги и ожидали, никого из хозяев квартиры — ни Ани, ни Виктора — дома не оказалось. Консьержка, к которой обратились подруги за помощью, сухо и кратко ответила, что Аня с Виктором перебрались в их дом сравнительно недавно. Года полтора-два назад. Вели себя тихо, ни в чем дурном замечены не были. Но при этом в контакт, а тем более дружеские отношения ни с кем из жильцов не вступали. И лично сама она, да и другие соседи даже не думали, что это брат и сестра, все считали пару молодых людей супругами.

О своем отъезде Аня с Витей никого из соседей, опять же, не уведомляли. Куда отправились, консьержка не знает. Когда вернутся, не в курсе.

— Как же так? А вдруг с ними беда случилась?

— Мое дело маленькое, — поджала губы сухопарая тетка. — Пока молодые люди в доме, я отвечаю за порядок. А как они за порог, там уж сами себе хозяева.

— А когда они исчезли?

— Я за ними не следила и счет дням не вела.

— Но хотя бы примерно!

— Месяца два их уже не видно. С весны вроде как.

Ничего себе! И все это время никому даже дела не было до того, куда подевались брат с сестрой. Впрочем, чему тут удивляться? Люди годами живут дверь в дверь, но даже не знают, как кого зовут из соседей. Современные нравы, чтобы им пусто было!

Но подруги не теряли надежды и продолжали расспрашивать консьержку:

— А их отец? Он не появлялся?

— Я его в лицо не знаю, так что не скажу. Может, и поднимался, если ключ от квартиры имел. Но со мной разговоров о своих детях не вел. И о них не расспрашивал. Либо знал, где они, либо не интересовался.

— Но кто-нибудь вообще спрашивал Селивановых за это время?

— Сюда за ними никто не приходил. Уж это я бы запомнила.

Этим подругам пришлось удовольствоваться. Они были горько разочарованы своей неудачной поездкой. Но даже отрицательный результат — это все равно результат.

— По крайней мере, теперь ясно, что Федор, с которым Лариса встретилась в подвале, — это брат Григория Селиванова. И Федор сказал Ларисе правду. Его детей держит у себя его брат, их дядя.

— Но зачем? Зачем ему племянники?

— А сам Федор? Зачем брату Федор? Это ты не хочешь спросить?

Да, это была загадка, ответ на которую мог дать сам Федор либо написанная им записка. Усевшись в машине, Кира вновь вытащила злополучный клочок бумаги и впилась глазами в таинственные палочки, черточки и загогулины. Но очень быстро сдалась.

— Полная бессмыслица.

— И тем не менее Михаил какой-то смысл в них увидел.

— Да только где теперь сам Михаил? Не отправляться же к нему за ответом.

И все же девушки считали, что запиской пренебрегать никак нельзя. Могло случиться, что в этой записке крылась погибель для Григория Селиванова. А его гибель означала бы спасение для Ларисы с Богданом и их дома.

— Решительно нам надо понять смысл этого послания! С помощью этой записки Федор чего-то хотел добиться от своего брата — Миши, но вот только чего? Помощи? Поддержки? Но какой?

Пока не был ясен смысл послания, подруги топтались на одном месте.

— Думаю, что к Федору домой можно даже не ездить.

— Нет, съездим.

— Уверена, Федора там нет. Он в подвале у Гришки.

Подруги уже позвонили на домашний телефон Федора и на его сотовый. На домашнем телефоне автоответчик посоветовал им оставить сообщение после звукового сигнала. И сотовый поступил точно так же. Подруги сообщений не оставили, потому что не знали, что сказать. Если Федор до сих пор сидит в подвале, куда его засунул брат, значит, и телефон Федора тоже находится в руках бандита.

— Поедем к нему, — настаивала Кира. — Даже если самого Федора и нету дома, то там есть его соседи.

— Соседи! — не сдержавшись, фыркнула Леся. — Ты же слышала, что нам сказала консьержка про Аню с Витей. Ничего! Она ничего не знает. Ей все равно!

— Во-первых, не все такие нелюбопытные и необщительные, как эта тетка. А во-вторых, не надо забывать, Аня с Витей поселились в новом жилище года два назад, а Федор живет в той своей квартире с рождения. Соседи знали и его отца — Леонида, и мать — Ирочку. Наверное, и братьев его тоже знают. По крайней мере, старшего — Мишу точно должны знать! Какое-то время братья ведь прожили вместе. Это уж потом их мать спуталась с Архипом Селивановым и перебралась с мальчишками к своему новому мужу!

— Тогда надо бы и к Селивановым наведаться.

— Хорошо. Но сначала к Федору!

И девушки снова отправились в путь. К счастью, на сей раз далеко ехать не пришлось. Федор и его дети жили неподалеку. Их дома отделяла одна автобусная остановка, очень удобно для всех. Близко, но в то же время не в одной квартире.

Но если Витя с Аней проживали в новом доме, лишь несколько лет назад сданном в эксплуатацию, то квартира их отца находилась в самой обычной старенькой девятиэтажке. Правда, состояние дома было хорошее. Панельные стены были аккуратно и тщательно промазаны какой-то черной субстанцией, в подъезде был сделан ремонт. Потолок был белым, лифт работал. Но все равно это был старый дом, в котором попахивало кошками и подгнившими овощами из мусоропровода.

Квартира Федора находилась на самом последнем, девятом, этаже. И поднявшись туда, девушки долго и без всякого толку звонили в обитую деревянными планками дверь.

— Нету там никого. И так было ясно, зря приехали!

Но сдаваться сыщицы не собирались. Они по очереди обзвонили все квартиры на этаже, тихо радуясь, что никому из здешних жильцов не пришла в голову мысль отгородить свой тамбур железной дверью или решеткой. Таким образом, подруги имели доступ ко всем дверям. И позвонив, старательно вслушивались в звуки в потревоженной квартире. Ведь зачастую люди не хотят открывать на нежданный звонок, чтобы не объясняться потом с незваными гостями.

— Мне кажется, что тут кто-то есть, — наконец шепотом произнесла Леся, указывая на одну из дверей. — Я слышала за стеной какой-то шорох.

Кира позвонила еще раз, а потом строгим голосом произнесла:

— Открывайте, вам судебная повестка. Получите и распишитесь.

На какое-то время за дверью стало совсем тихо. А затем не старый еще женский голос сварливо осведомился из-за двери:

— Это что же за повестка такая? Вроде ни с кем не сужусь.

— Вы приобрели в интернет-магазине товаров на сорок семь тысяч рублей. А платить за них не собираетесь! Вас вызывают в суд.

— Ничего я не приобретала. Сорок семь тысяч! Да у меня и компьютера-то нету! Это ошибка!

— Квитанции на оплату вам приходили?

— Ничего мне не приходило! Говорю же, это ошибка. Вы меня с кем-то путаете!

— Вы — Селиванов Федор Леонидович?

— Нет! Я — Галина Сергеевна. А Селиванов живет в квартире сорок два. А у меня сорок шесть! Вы перепутали цифры!

— Извините нас, пожалуйста, — громко извинилась Кира. — Служба такая. Целый день по адресам мотаешься, голова не соображает, глаза не видят. Это мы ошиблись, очень виноваты.

— Ничего, — подобрел голос за дверью. — Всякое бывает. Хорошо, что разобрались. А у Федора как раз компьютер есть, и большой. Один компьютер у него целую комнату занимает. Машину купил, детей выселил. Вот времена, вот нравы!

Кира отошла к двери Федора, несколько раз нажала на пимпочку звонка, а потом озадаченно произнесла:

— Что-то нет никого. Ой, как неприятно! Ведь если Селиванов не оплатит квитанцию, то ему придется это делать в судебном порядке. Да еще деньги будет взыскивать служба охраны. Опишут всю обстановку в квартире, все вынесут, а потом оценят в копейки. Мужчина еще и должен останется!

Вот этого соседка не стерпела. Кира верно рассчитала, поучаствовать в такой захватывающей истории всякому захочется, особенно если ты сидишь дома в разгар рабочего дня и ничем особо не занята.

Дверь щелкнула, и из-за нее выглянул любопытный длинный нос.

— Правда, опишут? — поинтересовалась соседка.

— Да.

— И мебель вынесут?

— Да.

— Вот беда! А Федор только недавно зарабатывать хорошо стал. До этого все копейки медные считал, у меня до получки то сотню, то две перехватывал. На хлеб ему с ребятами не хватало. Только-только деньги к нему потекли, новая беда!

— Скажите, а как мы можем разыскать гражданина Селиванова? Ведь если он до завтрашнего дня оплатит квитанции, то ареста имущества можно будет избежать.

— Ох, не знаю, что вам и сказать. Он уж недели две как дома не появляется. Может, у ребят? Дети у него есть, Анечка и Витя. Может, у них гостит?

Увы, эта версия отпадала сразу же.

— Или еще у брата может быть, — выдала новую информацию соседка. — Брат к нему заезжал часто.

Кто же приезжал? Михаил или Григорий?

— Я даже не сразу поняла, что это брат. Федя-то упитанный, но росточка невысокого. Благообразный, в очочках. А этот из себя рослый, волосы черные, глаза тоже. Я его увидела у нас на лестнице, прямо обомлела. Такой шикарный мужчина! И машина у него огромная, дорогая, на таких машинах у нас никто и не ездит. Как мне любопытно стало! Ну, и спросила у Федора, кто это к нему приезжал. А он мне ответил, что брат — Гриша.

Значит, все-таки не Михаил, а Григорий. Интересно, что связывало двух братьев, каждый из которых пошел по жизни своей дорогой?

— И часто Григорий приезжал?

— Раз в неделю появлялся. И кстати, последний раз я Федора тоже вместе с братом видела! Ну, точно, он к нему и поехал!

— Но адреса брата вы не знаете?

— Чего не знаю, того не знаю, — сокрушенно призналась соседка. — А брат у Феди богатый. Небось для него сорок семь тысяч заплатить, что мне кулек семечек купить!

Итак, страшный рассказ Ларисы подтверждался по всем пунктам. Обнаглевший от безнаказанности Григорий Селиванов по кличке Распутин, устав творить зло в мире, взялся за свою собственную семью. Федора засунул в подвал. Племянников запер в одном из своих домов. А Михаила... Запросто могло такое статься, что и Михаила убил тоже он!

ГЛАВА 10

Следующим пунктом в планах подруг на сегодня был центр переводов «Транслейтер». Подруги надеялись найти тут специалиста, который бы прочел им загадочную зашифрованную записку, которая измучила их до крайности.

— Нам нужен переводчик-востоковед. Потому что некоторые значки очень похожи на китайские иероглифы.

— А другие на что похожи?

— Сложно сказать. Но, может быть, прочтя хотя бы китайские иероглифы, мы все же что-нибудь поймем.

Нужного переводчика найти удалось легко. Девушкам крупно повезло. Им достался не просто специалист, а кандидат филологических наук, автор множества научных публикаций, член и референт, а также еще много чего, о чем переводчик поведал им с нескрываемой гордостью.

Хуже было то, что ученый муж, сколько ни хмурил свой многомудрый лоб, сколько ни сопел и ни почесывал лысую макушку, так ничего и не придумал.

— Абсолютная бессмыслица, — вернул он записку подругам. — Это не китайский язык. И даже никакой не диалект.

— А иероглифы вроде бы похожи на китайские, — разочарованно протянула Кира.

— Вот именно, что похожи, — кивнул переводчик. — Но только похожи. Это не они, можете мне поверить.

— А может быть так, что писавший их человек просто очень торопился и кое-где ошибся?

— Да. К примеру, где-то черточку забыл поставить. Где-то не туда линию провел. Это ведь так по-человечески.

— Если и так, то прочесть я все равно не могу. Извините. Деньги заплатите в кассу.

— Еще и деньги платить?

— Ну, конечно, — до крайности изумился член и референт. — Я ведь потратил на вас свое время!

Страшно расстроенные подруги переглянулись между собой. И что им теперь делать? Куда податься?

— Мы зашли в полный и окончательный тупик, — вздохнула Кира. — Поехали на работу, хотя бы там реабилитируемся.

Так подруги и сделали. Они поехали к себе в офис и «реабилитировались» там до позднего вечера. Они пересидели всех девчонок, сами закрыли офис и уже собирались садиться в машину, как их настиг звонок Лисицы.

— Вы где сейчас? Едете домой? Ну, хорошо. Нигде не задерживайтесь, очень по вам соскучился.

Вроде бы фраза была самой мирной и даже в чем-то приятной, приятель по ним соскучился, хочет видеть. Но отчего-то у Киры по спине побежали холодные мурашки.

Когда девушки приехали домой, Лисица уже был там. Он не дал девушкам ни раздеться, ни умыться, ни пройти на кухню. Велел сесть напротив себя и приступил к допросу, иначе это и не назовешь.

— Зачем вы вчера ночью охмурили, а потом выманили у доверчивого Эдика координаты некоего Леонида Пельцера?

Подруги молчали, не зная, что сказать.

— Что молчите? Думали, что я не узнаю?

И что сказать? Да, именно так подруги и думали.

— А откуда ты узнал? — робко поинтересовалась Леся.

— Это детали! — отмахнулся Лисица. — Сейчас о главном. Почему вы переступили через мой запрет не лезть в историю с Гришкой Селивановым?

— Мы не знали, что Леонид — его родственник! — выпалила Леся.

Кира покосилась на подругу с восхищением. Вот это выдержка! Как нахально врет и не краснеет!

Но Лисица Лесе поверил.

— Допустим, — протянул он. — Но зачем вам вообще понадобился адрес этого человека?

— Мы... мы хотели проверить одну вещь.

— Какую?

Подруги переглянулись и поняли, что без обстоятельного пересказа недавних событий, участниками или свидетелями которых они стали, им не обойтись. Теперь, когда казавшийся таким милым и славным Эдик сдал их с потрохами, надеяться им можно было только на полную откровенность. Как известно, откровенное признание смягчает приговор.

Лисица слушал их очень внимательно. А закончив слушать, уточнил:

— Другими словами, в подвале дома, в котором побывала ваша безголовая подружка, сидит пленник?

— Ну, не то чтобы пленник. Он сам отказался уходить, когда Лариса ему предложила идти с ней.

Лисица хмуро оглядел своих подруг, а потом вдруг поинтересовался:

— Вы что, все трое совсем идиотки?

— Нет, почему ты так говоришь?

— Потому что каждому нормальному человеку в такой ситуации становится ясней ясного, что надо прямиком бежать в полицию, прокуратуру, ФСБ или звать на помощь МЧС. В подвале дома сидит человек, он заперт. Какие сомнения могут быть в таком случае? Конечно, он пленник!

— Но он же не просил о том, чтобы Лариса вызвала МЧС.

— И тем не менее она должна была сделать именно это! И уж конечно, она не должна была врать своему мужу, что идет к портнихе, когда отправилась с этой запиской. Кстати, где она?

— Кто?

— Записка! Вы ее не потеряли?

— Скажешь тоже, — обиделась Леся. — Вот она, в целости и сохранности.

Лисица внимательно прочитал значки, потом аккуратно сложил бумажку и убрал ее к себе в карман.

— А... а куда это ты ее убираешь?

— Я у вас ее изымаю, — спокойно пояснил Лисица оторопевшим от такой чудовищной наглости подругам. — Отдам ее специалисту — дешифровщику. Возможно, что-то удастся прочитать. Теперь что касается дома господина Селиванова, в который пригласили вашу подружку с мужем. Как вы думаете, она сможет составить план расположения комнат, в том числе и в подвальном помещении?

— Наверное.

— Только сейчас ей не до того, — прибавила Леся. — Они с мужем безотлучно должны торчать дома, потому что стоит им отлучиться, их дом снесут бульдозером.

— А вы не преувеличиваете опасность?

— Утром мы с Кирой лично закрывали их дом грудью. Если бы не мы, дом точно бы снесли.

— Час от часу не легче, — вздохнул Лисица. — Но это ведь недалеко от «Чудного уголка»?

— Да.

— Где-то за озером? Мне не изменяет память?

— Да, там.

— Что же, — задумчиво пробормотал Лисица. — Конечно, сведений маловато. Полномасштабную операцию провести не удастся. Но ведь там большие силы и не понадобятся. Ваша Лариса говорила, что охраны в том доме на Неве, где им довелось побывать с мужем, совсем немного?

— Ну, как сказать. Человек десять-то всяко сбежалось, когда ее Богдана мутузить начали.

— Десять человек охраны — это ерунда. Мы с ребятами справимся с ними за несколько минут. Даже вонючки не понадобятся. В общем, решено!

И с этими словами Лисица направился к дверям. Видя, что он уходит, ничего им не объяснив, подруги заволновались:

— Что? Что у тебя решено?

— Что нужно, то и решено. Я ухожу, вернусь только утром. Не ждите меня.

— Ты уходишь, а нам что делать?

— Сидеть дома, носа никуда не высовывать и ждать от меня сведений. Если повезет, уже к утру я расскажу вам всю подноготную этой истории. Думаю, Федор в знак благодарности мне ее поведает сам, и в подробностях.

— Ты идешь выручать пленника, да? — догадалась Кира.

Но Лисица ничего не ответил. Он лишь повторил то, что уже сказал раньше:

— Сидите обе дома.

И исчез.

Подруги были уверены, что до утра они от волнения не сомкнут глаз, но ошиблись. Стоило им коснуться подушек, как сон навалился на них, подобно теплому пуховому одеялу.

Проснулись девушки от стука в дверь. Часы показывали шесть утра. И поеживаясь от утренней свежести, проникшей в дом через окна, они спустились вниз.

— Если так дело пойдет и дальше, мы запросто приучимся вставать спозаранку.

Кошки были уже внизу. Они мяукали и всячески давали понять своим хозяйкам, что им следует шевелиться поживее. За дверью дорогой человек, которого нельзя мариновать на улице.

Леся молча открыла дверь. На пороге стоял Лисица, и вид у него был крайне недовольный. Увидев зевающих от холодка подруг, он помрачнел еще больше.

— Спите, что ли? — буркнул он, входя в дом. — Ну, вы даете! Заварили кашу, я бегаю ее расхлебываю, а они спать завалились!

— Мы тебя не просили... того... расхлебывать.

— Вот-вот, мы и сами могли.

— Сами они могли, — проворчал Лисица. — В неприятности сами вы можете влезать, а из неприятностей мне вас вытаскивать приходится. Легче уж самому в них влипнуть, чем потом еще и вас из болота тащить.

Он прошел в гостиную, не снимая обуви. Притихшие подруги засеменили следом. Тот факт, что Лисица не снял уличную обувь, входя в дом, был дурным знаком. Очень дурным. Это могло значить только то, что дела у Лисицы шли так плохо, что хуже себе и представить невозможно.

Какое-то время приятель сидел молча. За это время Кира сварила кофе, Леся разогрела булочки с шоколадом, которые Лисица обожал, а сам он налил себе коньяка в водочную рюмку. Увидев это, девушки перепугались еще больше.

Коньяк в водочной рюмке был и вовсе пугающим знаком. Ведь обычно Лисица очень трепетно следил за соблюдением правил этикета. И сервировке стола уделял самое пристальное внимание. Следил за тем, чтобы шампанское наливалось именно в узкие и длинные бокалы, шашлык никогда бы не лежал на десертных тарелках, для рыбы в доме имелись специальные приборы с узкой канавкой для удаления косточек.

Но сейчас Лисица поднес к губам рюмку и махнул из нее коньяк одним глотком. Мигом смел все четыре булочки, запил их горячим сладким кофе и повеселел. Снял ботинки, велел принести ему коньячный бокал и еще чудесных булочек. После второй части завтрака настроение у него еще больше повысилось. И заговорил он почти весело:

— Начну с главного. Никакого пленника в подвале нами обнаружено не было. Хотя сам подвал нашелся, где ему и положено было быть.

Подруги переглянулись:

— А... а ты уверен, что это был ТОТ САМЫЙ подвал? Лариса говорила, что она спустилась ниже цокольного этажа и...

— Кира, как по-твоему, я похож на дурака?

— Нет, не похож.

— Конечно, перед тем, как лезть в чужой дом с группой своих ребят, я все досконально выяснил у Ларисы. Она мне все объяснила, даже план начертила. Довольно толковый план, надо сказать. С его помощью мы легко нашли и лестницу, и дверь, и саму темницу. Но повторяю, камера была на месте, а вот пленника там уже не было.

— Неужели его убили?

— Скорей всего, перевезли в другое место. Судя по тому, что рассказала мне ваша подружка, Распутин с этим своим пленником носится как с писаной торбой. За каким-то лешим он ему нужен. И нужен именно живым, да к тому же относительно невредимым.

— Да, Лариса сказала, что Федор был хорошо одет, в модных очках и при часах. Совсем не было похоже на то, чтобы его морили голодом, обижали и как-то иначе унижали. Кроме того, на столике стоял поднос с остатками сытной трапезы.

— Вот-вот. Странно, правда? Обычно пленников, если уж их сажают в зарешеченные подвалы, деликатесами не балуют.

— А кто-нибудь вообще был в доме?

— Кроме четырех человек охраны — никого.

— Только четверо? Вы их схватили?

— А какой смысл? — пожал плечами Лисица. — Вряд ли они в курсе планов своего хозяина. А о том, что в подвале содержался какой-то человек, мы и так знаем. Не мог же он Ларисе привидеться?

— Не мог. Он ведь передал ей записку, а она...

— Теперь о записке! Я еще вчера вечером договорился с Викентием, сейчас умоюсь, и мы с вами поедем к нему.

— А Викентий... Это кто?

Но Лисица не пожелал объяснить по-человечески. Он уже направился к выходу из кухни и лишь небрежно бросил на ходу:

— Увидите.

Кира открыла рот, чтобы осадить приятеля, но в этот момент у нее зазвонил телефон. Глянув на экран, девушка с удивлением обнаружила, что звонит ей Настя. Странно, что могло понадобиться любимой ученице Михаила от Киры в такой ранний час? Недоумевая, она ответила на звонок.

— Я погибла! — даже не поздоровавшись, сразу же зарыдала в трубку Настя. — Вы говорили, что все будет в порядке! Что мое алиби ни у кого не вызовет подозрений. А что получилось на самом деле?

— Что?

— Мне только что звонил следователь! Просил, чтобы я сегодня обязательно к нему заглянула!

— Ну и что? Наверное, у него возникли какие-то вопросы.

— Он хочет меня арестовать! Дознался, что мое алиби фальшивое! Он зовет меня, чтобы сразу же отправить на зону!

— Успокойтесь, сразу на зону вас в любом случае никто не отправит. Сначала будет суд, а до суда предстоит еще посидеть в следственном изоляторе. И только потом...

Настя издала совсем уж душераздирающий вопль, и Кира спохватилась:

— Разумеется, к вам это не имеет никакого отношения. Вас никто судить не будет, потому что не за что. Вы же ни в чем не виноваты!

— Да-а-а... — проныла Настя, шмыгнув носом. — А кто это подтвердит? У меня единственная зацепочка — это вы, Кира.

— Но что я могу?

— Съездите вместе со мной к этому Смелому. Если следователь захочет меня арестовать, не дайте ему этого сделать!

Легко сказать, не дайте! А как не дать? Однако Настя была в таком состоянии, что Кира не рискнула ей противоречить.

— Хорошо, конечно, я с вами съезжу.

— Прямо сейчас начинайте собираться, если возможно, — уже успокаиваясь, попросила Настя. — Следователь намекнул, что будет на службе с девяти, и очень меня ждет.

Кира пообещала, что к девяти она точно будет стоять возле отделения и ждать Настю, чтобы вместе идти к Смелому. На самом деле Кире совершенно не хотелось ехать. Визит к таинственному Викентию по поводу разгадки содержимого зашифрованной записки казался сыщице куда более привлекательным. Однако Кира не могла оставить Настю в том плачевом состоянии, в каком пребывала нынче молодая женщина.

Назвался груздем — полезай в кузов. Вызвалась помочь, будь добра, тяни лямку до победного конца.

ГЛАВА 11

Лисица немного разочаровался, вернувшись назад в кухню, но застав там одну лишь Лесю.

— А у Киры нашлись дела поважнее? — не скрывая своего неудовольствия, поинтересовался он.

Испугавшись, как бы приятель вовсе не передумал ехать к Викентию, Леся соврала, что Кира догонит их в городе.

— У нее есть одно крохотное дельце. Она с ним закончит и сразу же присоединится к нам.

— Викентий не любит ждать. Он ранняя пташка. Если сказал, чтобы мы были у него ровно в девять, значит, в девять мы и должны стоять у него на пороге. Ну, ладно, если сейчас не поехать, то бог весть, когда Викентий соизволит принять нас в другой раз.

— Кира нас догонит, — пообещала Леся, хотя в душе совсем не была в этом уверена.

Визит к следователю — это только на словах дело быстрое и не занимающее много времени. На самом деле любой визит в следственные органы имеет свойство растягиваться на долгие часы. То следователь занят, то к нему другие посетители, то у него срочное дело, которое требует его вмешательства. А ты сиди и жди. Так что вполне вероятно, что Кира задержится у Смелого до полудня.

Но Леся ошибалась. Когда Кира, ведущая под руку трепещущую Настю, вошла в кабинет Смелого, следователь их уже ждал. Он немного удивился, вновь увидев у себя в кабинете Киру, которую не приглашал, но не стал заострять на этом вопросе внимания. Наверное, счел, что Кира — это что-то вроде бесплатного приложения к ценной свидетельнице Насте.

Ее он пригласил поближе, а Кире просто махнул рукой на уже знакомый ей стул у стенки в дальнем углу кабинета. Ну а Насте велел присесть на почетное место, возле его стола.

— На самом деле у меня к вам всего один вопрос. Скажите, вы помните, среди посетителей Михаила был мужчина сорока пяти-пятидесяти лет, невысокий, тонкокостный. Мелкие черты лица, хрупкие ручки и ножки. Напоминает кузнечика. Вот его фоторобот.

Киру прямо током ударило. Фоторобот она не видела, а мысли уже закрутились у нее в голове. Неужели это был Федор? Вроде бы возраст совпадает. Хотя нет, Лариса говорила, что Федор был с брюшком, он явно любил покушать. И хоть и невысок, но в теле. Тогда это не он? Или все-таки он? В плену Федор провел довольно много времени, мог и раздобреть от малоподвижного образа жизни и сытной калорийной пищи. Но почему следователь интересуется братом Михаила?

Настя же, которая уже приготовилась к тому, что у нее будут жестко уточнять ее алиби, лишь изумленно хлопала глазами, глядя на Смелого. Она явно не понимала, по какой причине следователь задает ей эти вопросы.

— Мужчина?.. Какой мужчина?

— Это вам лучше знать, — с раздражением произнес следователь. — Так что это был за мужчина?

— Я не знаю. А он... Он точно приходил к Мише?

— Соседи видели их вместе много раз. Один из соседей даже как-то между делом спросил у Михаила, кто этот человек. И тот ответил, что старый друг. Но это мог быть и его ученик, не так ли?

— У Миши не было учеников-мужчин, — покачала головой Настя. — Он мне много раз повторял, что берет только женщин, потому что хорошо чувствует нашу энергетику. Может быть... это действительно был кто-то из его друзей? Или тех путешественников, которых Миша частенько спонсировал?

— Скажите, вы лично видели когда-нибудь этого мужчину?

— Ну... Как, говорите, он выглядел?

Следователь терпеливо повторил. И фоторобот повторно показал. Кира буквально изнывала на своем стуле. Ах, если бы следователь задавал свои вопросы ей! Какой славный диалог у них мог бы получиться! И наконец не вытерпев, Кира воскликнула:

— А что, если это был его брат?

Настя и Смелый повернули головы и с одинаковым изумлением уставились на Киру.

— Брат?

— Ну да, — смутилась Кира. — Просто я подумала, а вдруг это был не ученик, не друг, а родственник?

— Почему же тогда покойный представил его своим другом, а не братом?

— Ну... Михаил, насколько я понимаю, вообще был личностью неординарной.

— Мы навели справки о родственниках покойного, — досадливо произнес следователь, явно только чтобы отвязаться от Киры. — Это не его брат.

— А у вас имеются их фотографии? Разрешите взглянуть на них Насте.

Следователь пожал плечами, но фотографии достал и продемонстрировал свидетельнице. Настя отнеслась к этим фото безразлично.

— Не видела ни того ни другого.

С явной досадой следователь отложил фотографии в сторону, а затем вновь повернулся к Насте.

— Я спрашиваю вас о личности этого мужчины не просто так. Дело в том, что его видели поблизости от места преступления как раз в то время, когда произошло убийство.

— И кто его видел?

— Одна соседка столкнулась с ним возле кафе, которое расположено в соседнем дворе. Старушка утверждает, что это был именно тот мужчина, который раньше приходил к Михаилу. Так что? Можете вы вспомнить этого человека?

— Нет, — твердо произнесла Настя. — Лично я его точно никогда не видела.

— И не знаете, о ком может идти речь?

— Михаил упоминал о своем отце, но тот давно умер. Да и возраст не подходит. Этот мужчина — ровесник Михаила или около того.

Но больше Настя ничего сказать следователю не могла. И тот, не скрывая своего разочарования, был вынужден ее отпустить. Напоследок, уже попрощавшись с Настей, он задержал у себя Киру:

— Скажите, почему вы упомянули о братьях покойного?

— Так, к слову пришлось, — не моргнув глазом ответила Кира.

И не обращая внимания на его пытливый взгляд, вышла из кабинета. Вот еще, будет она с ним разговаривать! Начнешь делиться со следствием своими наработками, сама под подозрением окажешься. В принципе, Кира была довольна своим визитом к следователю, ведь напоследок ей удалось стянуть со стола фотографии братьев Михаила. И к тому же она успела взглянуть на фоторобот подозреваемого мужчины. Ну, и на том спасибо.

С фоторобота смотрело лицо человека с тонкими, Кира бы даже сказала, миловидными чертами лица. Никогда в жизни Кира бы не заподозрила в этом человеке преступника, тем более жестокого убийцу. А с другой стороны, знает она, как в полиции составляют фотороботы. Вот и на Ларису у них фоторобот имеется, а вся вина последней в том, что она оказалась не в то время не в том месте.

«Прямо камень с души свалился, — порадовалась про себя Кира. — Теперь Лариса хоть не одна числится у полиции в подозреваемых».

Компанию Ларисе нынче составил неизвестный сухощавый мужчина. Интересно, кто он такой?

Выйдя от следователя, Кира быстро попрощалась с Настей и, не слушая ее благодарностей, кинулась бежать. С Настей все будет в полном порядке. Щеки ее вновь порозовели, в глазах появился свет, а руки перестали быть холодными и влажными. Настя уже поняла, что ей и ее семейному благополучию ничто не грозит.

— Кто бы ни стрелял в Михаила — это не мой муж. Он у меня высокий и подтянутый. Его кузнечиком никак не назовешь.

Закончив дела с Настей, сыщица тут же перезвонила Лесе. Но телефон подруги был выключен. Раздраженная Кира перезвонила Лисице. То же самое. Обозлившись на своих друзей, Кира вытащила из сумки фотографии Григория и Федора, которые пусть и помимо своей воли, но все же предоставил ей следователь, и уставилась на них. Кира пыталась понять, могли ли братья Михаила стать его убийцами.

Конечно, сами фотографии оставляли желать лучшего. Это были те фото, которые вклеивают в паспорта. А на них люди редко бывают похожими на самих себя. Но за неимением лучшего...

— Я бы не назвала ни Федора, ни Гришу — кузнечиками, — пробормотала Кира. — И на того типа, фоторобот которого есть у полицейских, они тоже не похожи.

Она еще раз позвонила Лесе и Лисице, а затем, раздосадованная молчанием своих друзей, отправилась к дому Михаила. Если следователю Смелому удалось найти соседей-свидетелей, которые припомнили Кузнечика, то и Кире это удастся! Она покажет им фотографии братьев Михаила, а свидетели скажут, приходили или не приходили эти двое в вечер убийства к потерпевшему.

Между тем Леся и Лисица выключили свои телефоны совсем не из вредности и не по собственному желанию. Шифровальщик Викентий, которого Лисица разрисовывал в таких ярких красках, при ближайшем рассмотрении оказался личностью весьма странной. Он был как полотно, которое хорошо смотрится на дальнем расстоянии, но при приближении к нему вырисовываются слишком грубые мазки и прочие царапающие глаз детали изображения.

На расстоянии нескольких шагов Викентий казался юношей, а вблизи выглядел стариком. Сколько именно ему лет, не бралась сказать даже Леся, хотя она-то прежде считала, что способна вычислить возраст любого. Но и внешность Викентия была странной. Одет он был в драные джинсы и такую же драную молодежную футболку. Тело было смуглым и сухощавым. Но вот обильно украшающий его торс и лицо пирсинг выглядел так, словно сережки провисели в своих дырочках уже не одно десятилетие. Кожа на месте сделанного прокола была сильно вытянувшейся и выглядела неопрятно.

Да и характер у Викентия тоже был неприятным. Совсем без юношеского задора, а старчески брюзгливым.

Началось все с того, что Викентий встретил своих гостей очень невежливо.

— Чего вы так запоздали? — сердито набросился он на них прямо у дверей.

А часы на запястье у Лисицы показывали всего лишь две минуты десятого. И часы были идеально точным швейцарским брегетом, сомневаться в правильности хода не приходилось. Да еще последние двести метров от места для парковки до квартиры Викентия друзьям пришлось проделать почти бегом. Потные, запыхавшиеся, они едва переводили дыхание, пока Викентий выговаривал им свои претензии.

— Если я назначаю время на девять, значит, что в девять вы и должны ко мне явиться. Я предупредил, что смогу уделить вам лишь сорок минут своего времени. Мое время слишком дорого, чтобы тратить его на бесплодное ожидание.

— Почему же бесплодное? — пикнула Леся. — Мы ведь пришли. Опоздали всего на пару минут!

Викентий насупился еще больше, а Лисица наступил Лесе на ногу. Мол, молчи и не вякай. Пусть старик отведет душу. Лисица знал, о чем предупреждал. Услышав возражение Леси, шифровальщик затянул речь на добрых полчаса. Видимо, эти минуты он для себя потерянными не считал.

Друзья стояли с поникшими головами, слушая излияния Викентия. А тот, даже не предложив гостям пройти дальше прихожей или хотя бы присесть, вовсю отводил душу. Ни Лисица, ни тем более Леся более возражать зануде даже не пытались. И наконец по прошествии получасовой пытки Викентий сжалился.

Друзья к этому времени тоже уже отдышались. И с радостью услышали обращенную к ним фразу:

— А по поводу вашей записки, вот вам ее перевод!

И Викентий сунул им листок с отпечатанным на принтере текстом. Но не успели друзья прочесть первую фразу, как Викентий возвестил:

— Ваше время вышло! Прощайте!

— Нет, погодите! — возмутилась Леся. — Объясните хотя бы, что это был за код?

— Примитивнейшая детская шифровка. Каждой букве алфавита соответствует какой-то определенный символ, в данном случае несколько переиначенные китайские иероглифы.

— Но символов было гораздо больше, чем слов в том, что вы расшифровали.

— Разумеется. Между значимыми символами наливали воду.

— Воду?

— Заполняли пустые места ничего не значащими символами, — явно теряя терпение, пояснил Викентий. — К примеру, слово ВЕЩЬ само по себе коротенькое, всего четыре буквы. Но в записке оно заняло почти целую строчку.

— Как такое может быть? — воскликнула Леся.

Видя такой неподдельный интерес, Викентий немного смягчился:

— Видите, в этом слове между буквами есть три пробела. Первый находился между буквами «В» и «Е». Второй — между «Е» и «Щ». И третий — последний, между «Щ» и мягким знаком. Вот их-то автор записки и заполнил водой. Только каждый четвертый символ в записке имел смысловую нагрузку. Все прочие были просто водой.

— И вы это расшифровали?

Восторг в голосе Леси был искренним.

— Детский сад, — фыркнул Викентий в ответ.

И глянув на Лисицу, уничижительно прибавил:

— А вам вообще должно быть стыдно. Такой примитивный шифр! Чему вас только теперь учат! Ни знаний, ни пунктуальности, ни образования.

— Скажите, а кто мог составить эту записку?

— Да кто угодно, — отмахнулся Викентий. — Особых умственных способностей для использования такого шифра иметь не нужно. Хотя отдаю должное его составителю, он проделал большую работу. Ведь каждый значимый символ надо было сначала придумать, заучить, а потом и научиться исполнять достаточно быстро. Думаю, что это работа мальчишек. Времени у них всегда много, а вот мозгов и знаний еще маловато.

И высказавшись, Викентий замахал руками и закричал:

— Все-все! Аудиенция закончена! Жду следующих посетителей! Уверен, они окажутся пунктуальнее вас! Пошли вон, надоели!

Оказавшись на лестничной клетке, Леся с Лисицей жадно впились глазами в записку. Собственно говоря, она была совсем короткой и состояла всего лишь из двух предложений:

«Забери вещь у Далилы. Пришло время!»

Прочтя это, друзья переглянулись.

— Кто такая эта Далила?

— И что это за вещь?

— А Далила?

— Далила... Далила... постой, мне кажется, я догадываюсь. Имя очень редкое в наши дни. Но так звали одну из тетушек Михаила, сестру его отца.

— Старушка жива?

— Куда там! Давно скончалась, завещав свое имущество ближайшему родственнику — племяннику.

— Значит, ее квартира досталась Михаилу?

— Да. А он ее продал.

— Кому?

— Я не знаю.

— Плохо, — категорично заявил Лисица. — А кто может это знать?

— Ну... Возможно, Марта Гербертовна.

— Это кто?

— Соседка дедушки Михаила — профессора Добрякова.

— Да, теща министра, — рассеянно пробормотал Лисица.

— Если кто у нее и министр, так это сын. Кира говорила, старушки во дворе очень о нем уважительно отзывались.

— Вы с Кирой плохо информированы. А насчет старушек во дворе я тебе так скажу, далеко не всегда их сведения правдивы. Старушек очень легко дезинформировать.

— Ты так делал?

— Делал, — кивнул Лисица. — И неоднократно. Но это сейчас совершенно не важно. А важно то, что нам надо ехать к уважаемой Марте Гербертовне. Говори ее адрес!

Леся растерялась.

— А я его не знаю. Это ведь Кира к Марте Гербертовне ездила.

— Так звони Кире, узнавай у нее адрес. И кстати, куда это сама Кира запропастилась?

И хотя Лисица изо всех сил постарался задать этот вопрос самым безразличным тоном, на какой только был способен, Леся все поняла. Приятель запросто мог бы выяснить адрес Марты Гербертовны по имеющимся у него каналам. И не сделал он этого исключительно потому, что хотел услышать новости от Киры. Хотел, чтобы она присоединилась к ним. И что это могло означать? Уж не то ли самое, о чем думала Леся уже давно?

Ах, как было бы славно, если бы Кира и Лисица перестали уже играть друг с другом в эту затянувшуюся игру в кошки-мышки. Как было бы здорово, если бы эти двое наконец поняли, как много они теряют! И в конце концов, Лесе уже хотелось погулять на их свадьбе!

Честно говоря, лучшего мужа для Киры, чем Лисица, нельзя было и пожелать. Они так здорово подходили друг другу. У них даже масть была одна — рыжая. Да, из них получилась бы прекрасная пара. И детишки были бы такие рыженькие-рыженькие. А Леся была бы их доброй тетушкой или даже крестной мамой.

— Так что? — внезапно отвлек Лесю от ее сентиментальных раздумий голос Лисицы. — Где там наша Кира? Приедет она или будет дальше мне нервы трепать?

А у Киры дела шли ни шатко ни валко. Своим друзьям она больше звонить не пыталась. Вместо этого вплотную занялась обходом соседей Михаила. Многие уже знали ее по прежнему визиту, когда они вместе с Настей интересовались временем убийства Михаила.

И теперь по старой памяти многие соседи даже открывали Кире дверь, правда, не забывая накидывать цепочку или крюк. А иные и вообще общались через дверь, но суть от этого не менялась. Кира демонстрировала соседям фотографии, кому-то через дверной глазок, кому-то через щель, но люди лишь качали головами:

— Нет, не видели. Не знаем.

Это было очень загадочно. Неужели братья никогда не приходили к Михаилу в гости? А кто тогда приходил? Кем был тот Кузнечик, которого видела старушка-соседка? Да и где та старушка? Кира сбила себе все ноги, а нужной бабушки так и не нашла. Нет, какие-то старушки ей попадались. И две из них даже были явно не прочь поболтать.

— Худенький, невысокий мужчина, который заглядывал к Мише? Вроде был такой. Когда последний раз приходил? И как его звали? Нет, этого мы не знаем.

А между тем где-то тут имелась старушка, которая видела, как невысокий худощавый мужчина, который и прежде приходил к Михаилу, торопливо пробегал через соседний двор. И не когда-нибудь, а именно в вечер убийства. Кира не поленилась, сама пробежала через упомянутый двор и огляделась по сторонам. В каком направлении мог пойти тот сухощавенький Кузнечик?

Путей у него могло быть совсем немного. Направо или же прямо. Но направо дорога была перекопана. Значит, оставался только путь прямо. И к тому же этот путь упирался в еще одно жилое здание, на первом этаже которого было расположено кафе. Как раз возле кафе старушка и столкнулась нос к носу с этим типчиком, который так заинтересовал полицию.

Кира немедленно сделала стойку. Ведь если витрина кафе выходила на улицу, то служебные помещения выходили окнами во двор. И кухня была в том числе. Кира недолго колебалась. Не будет она искать старушку, лучше заглянет в кафе. Если уж она сама отлично видит снующих за грязным стеклом поваров, то и они должны ее видеть. И не только ее, но и всех других, кто находится во дворе.

Конечно, у поваров в часы наплыва посетителей бывает много работы, им недосуг глазеть в окошко. Но ведь на кухне есть и другие люди — грузчики, мойщицы и прочие подсобные рабочие. Может быть, кто-то из них сможет быть ей полезен?

Зайдя в ресторан, Кира уже знала, к кому ей обратиться. Подошла к администратору и четко произнесла:

— Я хочу работать у вас мойщицей.

Она была готова к тому, что место мойщицы окажется занятым. Но тогда можно было пойти помощником кондитера, уборщицей, официанткой или даже тем же администратором. Должность только звучала красиво, а на деле была сплошной головной болью.

Но Кире удалось попасть в цель с первого же выстрела. Услышав, что к ним пожаловала новая мойщица, администратор засиял ответной улыбкой. Его даже не смутила одежда Киры, купленная не где-нибудь, а в лучших бутиках города. Но администратор выглядел так, словно сам недавно спустился с гор. У него были густые усы и безупречно ровный ряд золотых зубов. И поэтому потертые джинсы Киры и ее майка с заплатками произвели на него именно то впечатление, на какое Кира и рассчитывала. Администратор счел ее достойной занять должность младшего обслуживающего персонала — мойщицы.

Директора на месте не оказалось. Да и устройство на работу мойщицы — это не та синекура, которая требует участия больших фигур. И уже спустя три минуты после краткого собеседования Кира оказалась в мойке. Оглядевшись по сторонам, она мысленно поздравила саму себя с удачей. Окна мойки выходили во двор, который так интересовал сыщицу.

Кроме Киры тут была всего одна женщина. По ее собственным словам, каждое утро с девяти до часу дня она чистила картошку, а затем уходила по своим делам. У Ксении не было образования и не было мужа, но зато имелось четверо детей, которые отчаянно нуждались в своей матери. Поэтому Ксения, которая, прикинув несколько открывающихся перед ней вариантов — влезть в петлю от безысходности, помереть с голоду или самой пойти нищенствовать, а детей сдать в приют, сочла за лучшее выбрать меньшее из всех зол и просто чистить картошку в кафе.

— Жизнью я довольна, — разглагольствовала Ксения.

Кира молча кивала в ответ. Где-то она Ксению даже понимала.

Во-первых, в ресторане ее кормили и давали ей еду с собой. Таким образом, она сама и дети были сыты. Во-вторых, работа не отнимала у нее много времени. И наконец, самое важное, кафе находилось всего в двух шагах от ее дома, так что она в любое время могла держать руку на пульсе своей семьи.

Все это болтливая Ксения умудрилась рассказать Кире за какие-нибудь полчаса их первого знакомства. И пока Кира усердно терла тарелки, Ксения говорила, не замолкая.

— Посудомоечная машина и картофелечистка, по мнению хозяина, вишь ты, жрут слишком много электричества. Купить их дороже, чем нанять нас с тобой. Так что готовься к героическому подвигу, посуды тут иной раз бывает целые горы. Лично я ни за какие деньги не согласилась бы всю ее перемыть. Другое дело — моя должность, почищу свою картошку и свободна. А ты будешь сидеть до полуночи!

— А ты всегда рано уходишь?

— Нет, когда банкет или корпоратив какой, то я могу и остаться. За отдельную плату, разумеется. Всю прошлую неделю за мойщицу и за себя проработала. Все руки распухли, пальцы были толстые, красные, чисто сардельки. Я уж думала, вовсе ногти слезут. Нет, врагу — и тому такой работки не пожелаешь!

И тут Кира снова была с ней согласна. Безобразие, что в нашем продвинутом современном мире для человека еще находится такая грязная и непродуктивная работа.

— Конечно, в больших ресторанах — там мойщица — чистая королевна. В машинку грязные тарелки и кастрюли загрузит, сама вся в беленьком, стоит, ногти наманикюренные полирует. Красота! А у нас хозяин — жадина. Посчитал, что если машинку купить, так к ней еще и работницу приставить нужно. Сама-то машинка не включится, не загрузится и не разгрузится. Значит, опять человеку плати. А меньше минималки никак не заплатишь. Вот и сидим с тобой. Ты на грязных тарелках, а я на картошке.

Про жадину-хозяина Кире слушать совсем не хотелось. И чтобы сбить Ксению с оседланного ею конька, Кира сказала:

— Я слышала, у вас тут убийство произошло недавно? Говорят, где-то в соседнем доме.

Ксения мгновенно переключилась на более интересную тему и с жаром подтвердила:

— Ага! К нам тоже полицейские приходили.

— А ты что им сказала?

— Эх, меня в тот момент на работе уже не было, когда они заявились, — с явным сожалением призналась женщина. — После банкета мне хозяин выходной дал. Ну, как дал, начисти, говорит, Ксения, картошки и отдыхай. Больше ни о чем тебя просить не стану. Ну, я почистила и ушла. Малой у меня приболел, с ним опять же посидеть надо было. Ну а потом уж специально я к ментам не побежала, конечно.

— Видела чего?

— Видела. Интересную вещь видела. Рассказать?

— Конечно!

— И то правда. Хоть тебе расскажу, отведу душу.

Ксения даже на время прекратила чистить клубни картофеля. Отложила нож и пустилась в повествование:

— Поздно уже было. Время домой уходить, но хозяин сказал, что гости за банкет еще не расплатились, поэтому и мне денег он дать не может. Ну, я и осталась ждать. Сижу, в окно таращусь. Вдруг вижу, женщина бежит...

— Какая женщина?

— Не перебивай! Симпатичная такая женщина, худенькая. Фигурка изящная, платье пестренькое. Ну а в руках у нее пакет. Я как этот пакет увидела, сразу подумала, что там что-то тяжелое. Ну, увесистое во всяком случае. Только женщина эта далеко не побежала, у наших мусорных баков остановилась и платье все с себя стянула. И знаешь, что оказалось? Под платьем-то это был переодетый мужик!

От такой новости Кира чуть не выронила из рук скользкую тарелку.

— Кто из них? — воскликнула она, выхватив мыльными руками фотографии Федора и Григория и сунув их под нос Ксении.

Но Ксения хоть и внимательно посмотрела на лица братьев Михаила, однако головой покачала отрицательно:

— Нет, не эти. У этого нос слишком большой. А у этого физиономия круглая. Этих я не знаю. А тот мужчина был маленький, аккуратный. Носик крохотный, глазки-бусинки. Сам из себя словно куколка. Так бы и обняла, так бы и прижала к груди!

И мойщица смачно обхватила себя за плечи, демонстрируя, как бы она ухватила отпущенный ей судьбою приз. У Киры даже слегка заныли ребра.

— И он был вооружен?

— С чего ты взяла? Нет, оружия я у него не видела. Он переоделся, а платье в мусорный бак кинул. И дальше побежал.

— А пакет?

— Пакет у него сначала в руках был. Он в него платье сунул, а потом и его, и платье в наш мусорный бак на ходу кинул. И еще следом какую-то металлическую штуку, вроде цилиндра маленького швырнул.

Маленький металлический цилиндр? А что, если это был глушитель?

— Во-во, эту штуку он тоже в наш мусорный бак бросил. И пакет туда полетел, и все остальное.

— Где он? — сорвалась с места Кира. — Где этот бак? Во дворе?

Ксения открыла рот, собираясь ответить, но Кира уже и сама вспомнила, что, подходя к кафе, видела синий мусорный бак. Не теряя даром времени, девушка ринулась во двор. Мусора в баке было совсем немного, только на самом дне. И невзирая на неприятный запах, который поднялся со дна бака, когда Кира открыла крышку, девушка смело полезла в мусор.

Обратно на кухню она вернулась мрачная и недовольная. В баке не оказалось ничего, кроме отходов кафе.

— Куда рванула-то? — встретила ее Ксения. — Убежала, не дослушала. Бак с мусором в тот же вечер мусоровоз забрал. И пакет тот вместе с прочими отходами на свалку уехал.

— Ты должна была сказать об этом полицейским!

— Делать мне больше нечего, — обиженно прогудела Ксения. — Мне лишние неприятности не нужны. И так дел невпроворот. А если бы я еще в полицию насчет того мужчины с пакетом, в бабу переодетого, обратилась, вообще бы времени ни на что не осталось.

И она с удвоенной энергией принялась за свою картошку. Было ясно, что позиция ее тверда, и Ксения с нее не сдвинется. Пришли бы полицейские вовремя, она бы им, может, и рассказала, что видела. А коли прошляпили свое счастье, не обессудьте. Ксения за ними бегать не станет.

И Кире только и оставалось, что выяснить во всех подробностях, как же выглядел мужчина, которого видела Ксения.

— Портрет его нарисовать не сможешь?

— Да ты чего? — искренне поразилась Ксения. — Я карандаш в руках со школы не держала. Да и тогда за меня по коммуналке сосед задания по изошке делал.

— Значит, не нарисуешь?

— Ни-ни, даже и не думай.

И Кира начала задавать новые вопросы. Во что мужчина был одет? Как себя вел? Может быть, волновался? Держался скованно или, наоборот, вызывающе? Киру интересовало про этого мужчину абсолютно все. И ей повезло в том плане, что Ксения оказалась отличной свидетельницей.

Незнакомый мужчина запал ей в сердце, хотя глуповатая Ксения так и не поняла до конца, ЧТО именно или КОГО именно она видела. А ведь это переодевание из женщины в мужчину выглядело очень подозрительно. Неужели полицейские были правы, заподозрив этого Кузнечика в убийстве Михаила?

Но если так, то счастье Ксении, что сам преступник ее не заметил. А то вместо продолжения своей пусть и однообразной, но зато спокойной жизни Ксения встретила бы быструю и мгновенную смерть. В том, что преступник не оставил бы в живых свидетельницу, Кира даже не сомневалась.

Если убийца хладнокровно всадил в лоб Мише пулю, то это говорило только о том, что человек он опытный и убивает не впервые. Одним трупом больше или меньше, для такого человека особой разницы уже нет.

ГЛАВА 12

Леся набрала номер Киры и, едва услышав ее голос, поняла, что подруга нарыла какую-то ценную информацию. Голос Киры звучал приглушенно и как-то уж слишком безразлично.

— Да? Ждете меня? А чего? Я вам все-таки понадобилась?

— Кира, ну что ты! Ты нам всегда нужна.

— Что-то с трудом в это верится. Если телефоны вдвоем сразу отключили, то это мне как следует понимать? Нужна я вам? Ждете вы моего звонка? Надеетесь, что я появлюсь? Или все-таки совсем наоборот?

— Если ты обижаешься, что мы телефоны выключили, то это Викентий виноват, — начала объяснять Леся. — Такой неприятный тип, ты бы его видела. Даже хорошо, что ты с нами не поехала. Ты бы точно не сдержалась. И тогда он не отдал бы нам расшифрованную записку.

Услышав, что они теперь могут прочесть записку, Кира немедленно сменила гнев на милость и заинтересовалась, что в записке. Она тоже решила, что речь идет о тетушке Далиле — сестре отца Михаила.

— Встречаемся возле квартиры профессора Добрякова! Я уже еду!

— И мы едем!

Лисица завел машину и тронулся с места прежде, чем Леся успела сказать, куда ему надо ехать. И если сам Лисица не заметил своего промаха, то Леся намотала себе на ус. Как она и подозревала, приятель давно знал адрес, по которому находилась бывшая квартира профессора Добрякова. Сам он не хотел звонить Кире, гордость не позволяла. А вот для Леси он придумал предлог для звонка.

— Адрес ему нужен, как же, — проворчала себе под нос Леся. — Кира ему нужна, а не какой-то там адрес.

Во дворе дома профессора стояла полицейская машина, но не из спецподразделения, а самая обычная. На таких дешевеньких «реношках» часто раскатывают патрулирующие свой участок полицейские. В принципе, полицейских сюда могло привести все, что угодно, вплоть до банальной семейной разборки. Но Леся почему-то насторожилась. И особенно ее насторожило поведение старушек-соседок, которые расположились на лавочке, возбужденно косясь на полицейскую машину и перебрасываясь репликами:

— А я ей всегда говорила...

— Подозрительные жильцы в этой квартире.

— Только вчера Анна Степановна ей замечание сделала, и вот пожалуйста! Как в воду глядела.

— А она-то зазнайка! Если зять в министры записался, это еще не значит, что у самой ума палата!

Леся невольно сделала шаг в сторону старух. А те, увлеченные разговором, ее даже не заметили.

— И ведь какая приличная квартира была! Профессор, его жена, девочки.

— Сын у них непутевый был!

— А внук и того хлеще!

— Квартиру деда в какую-то перевалочную базу превратил.

— Анна Степановна как-то к ним сунулась, так чуть в обморок не свалилась. Квартира вся в запустении, паркет испорчен, обои отклеились, побелка сыпется. А этим и горя мало. Кроватей на всех не хватает, так они палатку прямо среди комнаты поставят и спят в ней!

— С таких станется и костер прямо в квартире разжечь!

Не оставалось никаких сомнений, что речь идет о квартире Михаила и его беспокойных квартирантах. Но что же с ними случилось?

Ответ на этот вопрос дала Кира, которая приехала раньше своих друзей и теперь, высунувшись из окна, призывно махала им:

— Эй, поднимайтесь!

Леся с Лисицей не стали задерживаться во дворе, тем более что все болтливые старухи на какой-то миг умолкли, уставившись на Киру. А потом все свое внимание сосредоточили на Лесе и Лисице. Подслушивать в таких условиях дальше было невозможно, и друзья поднялись по лестнице.

Кира встречала их на площадке возле квартиры Марты Гербертовны. Увидев Лисицу, она быстро к нему подскочила:

— У тебя ведь есть какое-нибудь служебное удостоверение, да?

— Что значит «какое-нибудь»? — строго произнес Лисица. — У меня их три, и все подлинные!

Но Кира зашипела в ответ:

— Нашел время, чтобы дурачиться! Тут такое... такое...

— Какое?

— Квартира профессора Добрякова взломана!

— Мы слышали, старухи во дворе уверены, что это жильцы, которых Михаил сюда пустил, постарались.

— Зачем жильцам грабить собственную квартиру? — возмутилась Кира. — Старухи бред несут! Марта Гербертовна говорит, что жильцы тут ни при чем. Ведь сами жильцы и подняли тревогу. Несколько дней подряд квартира пустой стояла, никого из ее обитателей не было. А сегодня двое из Монголии вернулись, хотели зайти, а дверь открыта. Ну, они сначала подумали, что в их отсутствие Михаил кого-то еще подселил, одним словом, не встревожились. Зато как зашли...

И внезапно умолкнув, Кира повернулась к приятелю:

— Слушай, Лисица, ты не мог бы нам помочь, а?

Лисица не стал ходить вокруг да около и сразу спросил:

— Ты хочешь, чтобы я помог вам войти и осмотреть место преступления?

— Да.

— Ну что же, — вздохнул Лисица. — Знайте мою доброту, помогу я вам.

— Спасибо! Спасибо тебе огромное!

— Да не благодарите. Мне же будет спокойнее, если вы будете вести свое расследование при мне. А то стоит на минуту отвернуться, вы таких дров наломаете.

Подруги молчали. Глупо возражать человеку, если вам от него что-то нужно. А девушкам было нужно, и очень.

Лисица тоже это понимал, поэтому особо вредничать не стал. Побубнил что-то там себе под нос минут пять, а потом спустился к квартире профессора Добрякова и вошел внутрь первым, приказав подругам оставаться на лестнице. Впрочем, долго девушкам ждать не пришлось. Они только-только успели убедиться в том, что дверь вскрыта очень аккуратно, как дверь снова открылась, и на пороге показался молоденький оперативник.

— Пожалуйста, проходите, — безукоризненно вежливо произнес он, глядя на подруг, и разве что не раскланялся, провожая их в глубь квартиры, к месту преступления.

Изумленно переглядываясь между собой, оказанный прием превосходил все их ожидания, подруги прошли по длинному коридору. Как выяснилось, ограбленной оказалась только одна комната. Все остальные остались в целости и сохранности.

— На входной двери грабитель просто отжал старенький замок. Язычок замка быстро вышел из дерева, даже особо не повредив его. И преступник прошел внутрь квартиры, почти не подняв шума.

Двое оперативников, которые находились в квартире, принялись давать свои комментарии случившегося:

— Внутри квартиры следов преступления нету. Взломана всего одна дверь, ведущая в самую дальнюю комнату, все прочие двери и помещения не тронуты.

— Почему-то грабитель не заинтересовался теми комнатами, которые были ближе к входной двери. Прошел до самого конца коридора и только тут начал орудовать фомкой.

— Да и вообще, грабителем его и назвать трудно. Пришел, взломал, но, по словам жильцов, ничего не вынес.

— Тут и выносить нечего было.

— Все равно, мог бы телевизор прихватить или хотя бы эти безделушки.

И оперативник ткнул пальцем в пузатеньких божков, носящих на себе следы довольно грубой обработки. Но при своей внешней неказистости упомянутые бронзовые статуэтки были сделаны больше тысячи лет назад. Это сообщили оперативникам жильцы Михаила. Сейчас этих бедолаг допрашивали в полиции. Но информация от них уже просочилась.

— Одна такая штучка стоит больше, чем обстановка всей квартиры.

— Видимо, грабитель не разбирался в антиквариате.

— Или он пришел сюда за чем-то другим.

И оперативники поманили посетителей к окну. А когда девушки и Лисица подошли, быстро подняли подоконную доску. Никогда не видевшие такого, девушки не сдержались и ахнули. И даже Лисица сдавленно хмыкнул. Подоконник тут был сделан из толстой, очень старой доски. Видимо, она была выпилена из цельного ствола какого-то большого дерева, в которое были вмонтированы железные петли и замок. Но со временем дерево рассохлось, так что справиться с замком оказалось не так уж трудно.

Грабитель использовал принесенную с собой фомку, ломик или другое орудие. Поддев им подоконную доску, он совершенно выломал ее из пазов. Под доской оказалось небольшое углубление, в котором мог поместиться пакет гречки в килограмм весом или что-то в том же духе.

— Вот только тут он и орудовал. В этом тайнике. Вскрыл его и ограбил.

— Орудия взлома мы в квартире не нашли, видимо, он его принес с собой, а потом аккуратно забрал.

— Вообще, грабитель очень рисковал.

— И ради чего?

Подруги нагнулись к тайнику.

— Как вы думаете, что в нем лежало?

Но вместо оперативников им ответил старческий голос Марты Гербертовны, также спустившейся вниз:

— Тайник был пуст!

— Вы что-то знаете?

— Далила хранила тут свой дневник и письма своего возлюбленного. Им не удалось соединить свои жизни воедино. Обстоятельства были против них. Когда Далила была свободна, он был женат. А когда овдовел он, она уже была связана обязательствами с другим мужчиной, которого безмерно уважала и по-своему ценила. Но свой дневник и любовные письма возлюбленного Далила до самой смерти хранила в тайнике в отцовском доме.

— Так это когда-то была комната Далилы?

— Да.

— И... и письма хранились у нее в тайнике? Их и украл грабитель?

— Тайник стоит пустым уже много лет, — сухо ответила Марта Гербертовна. — Когда Далила умирала в больнице, она взяла с меня слово, что я загляну в квартиру ее отца, достану дневник и письма из тайника и уничтожу их.

— И вы это сделали? Даже не прочли, кто отправитель?

— К чему?

— Возможно, этот человек и затеял ограбление! — воскликнул один из оперативников. — Хотел вернуть назад свои письма! Наверное, опасался, что в них есть компрометирующие его сведения.

На губах Марты Гербертовны появилась усмешка.

— Молодой человек, ваш оптимизм мне нравится.

— Нравится?

— Ну конечно. Вы же полагаете, что в восемьдесят шесть лет мужчина еще способен на такой поступок!

— Вы знаете, кто был отправитель писем?

— Да. Этот человек мне знаком.

— Назовите его имя!

— Зачем?

— Возможно, в дневнике или письмах было что-то такое, что заставило наследников вашего старика зашевелиться.

Марта Гербертовна пожала плечами:

— Как бы там ни было, дневник и письма уничтожены. Я сделала в точности как завещала мне Далила. Сожгла бумаги, не прочтя ни единой строчки из них. Это была не моя тайна, и я не имела права совать в нее нос.

Марта Гербертовна замолчала. Молчали и остальные. Кира думала о той неизвестной ей тетушке Далиле, которая прожила всю свою жизнь с нелюбимым мужем, зная, что любит и любима другим мужчиной. Что заставило ее поступить подобным образом? И можно ли такое чувство назвать любовью? Лично Кире это больше напоминало издевательство.

Лесю же терзало жгучее сожаление. Какая жалость, что Марта Гербертовна оказалась такой нелюбопытной особой! Могла бы и сунуть нос в дневник и письма. Тем более что знала обоих влюбленных.

— И я ведь слышала, как этот человек орудовал в квартире, — неожиданно вновь заговорила Марта Гербертовна. — Да, да, я могла бы предотвратить преступление! Но я подумала, что вернулись жильцы, они и стучат. Немного даже обиделась на них за невнимание.

— Невнимание?

— У нас заведено, что, вернувшись из своих экспедиций, они заходят ко мне. Я угощаю их чаем, кормлю ужином, а они в благодарность рассказывают мне о своих приключениях.

— И вы обиделись, потому что решили, что ребята вами пренебрегают?

— Глупо вышло. Сочла себя скучной ненужной старухой. Если бы не мое самолюбие, я бы могла спуститься вниз и предотвратить преступление.

— Слава богу, что не спустились!

— А то тут было бы не одно преступление, а сразу два.

Губы Марты Гербертовны дрогнули:

— Думаете, он мог бы меня убить? Нет, уверена, вы ошибаетесь. Такой маленький, такой аккуратный мужчина. Я сегодня была очень удивлена, поняв, что он взломщик.

— О ком вы говорите?

— О мужчине, которого я видела выходящим из нашего подъезда как раз после того, как стих шум в квартире Добряковых.

— Можно подробнее? — заинтересовался один из оперативников. — Почему вы решили, что этот мужчина — взломщик?

— Он выходил из дверей нашего подъезда, а я у нас всех жильцов знаю в лицо. И большинство их знакомых тоже. Вот я сначала и подумала, что это мастер, которого мои соседи снизу наняли для выполнения каких-то ремонтных работ. Еще удивилась, что мастер-ремонтник так изысканно одет.

— Можете его описать?

— Пожалуй. Правда, я видела его сверху, из окна своей квартиры.

— Но как вы поняли, что это грабитель?

— Тогда я об этом и не подумала. Просто отметила, что из нашего подъезда вышел незнакомый мужчина. Что одет он безупречно. И что почти одновременно с его выходом прекратились и звуки внизу. Решила, что это мастер выходит. А вот уже теперь, сопоставив все факты, я думаю, что видела грабителя.

— Опишите его.

— Невысокий, худощавый. Одет очень аккуратно, я бы даже сказала, со вкусом. В принципе, ничего особенного или вызывающего, куртка, брюки. Но сидели они на нем идеально. Что же еще?.. Ах да! Волосы темные, безукоризненно причесаны на косой пробор. Просто идеальная укладка, волосок к волоску!

— В руках у него что-нибудь было?

— Да! Небольшой чемоданчик, с какими обычно ходят мастера. Знаете, такой раскладывающийся, с железными ручками. Теперь-то я понимаю, из-за этого чемоданчика с инструментами я и подумала, что этот мужчина — мастер. Ведь в остальном он на мастера был совсем не похож.

— Что-нибудь еще видели? Может быть, он сел в машину?

— Он просто вышел через арку на улицу.

— А его лицо?

— Он ни разу не оглянулся на дом, так что о его лице я вам ничего сказать не берусь.

Все немного помолчали, а потом один из оперативников вновь спросил у Марты Гербертовны:

— И все же, как по-вашему, что мог грабитель искать в комнате вашей покойной подруги?

— Я вам уже сказала, молодой человек, понятия не имею.

— Постарайтесь вспомнить, не упоминала ли ваша подруга о своем знакомом или даже родственнике, которому бы подходили приметы грабителя?

Марта Гербертовна принялась объяснять оперативникам, что с Далилой она дружила постольку, поскольку дружила с ее сестрой — Эсфирью. Вот с ней у Марты Гербертовны сложились по-настоящему дружеские отношения. А с Далилой они тесно общались, пока жили все в одном доме. Когда Далила вышла замуж и переехала к мужу, то она отдалилась и от подруги, и от сестры.

— Далила всегда была не очень общительна. Так что с ее мужем я была едва знакома, а прочей мужниной родне и вовсе не была представлена.

— А друзья?

— У Далилы почти не было друзей. Говорю же, она была малообщительна.

Но оперативник не сдавался.

— Тогда, возможно, этот худощавый невысокий мужчина мог быть со стороны возлюбленного вашей подруги. Кто-нибудь из его родни?

— Нет!

— А я думаю, что только родню возлюбленного Далилы мог заинтересовать дневник и письма. Кому еще они нужны?

— Я сказала, нет!

— Почему вы так в этом уверены?

— Потому что я точно знаю, среди родных Александра людей с такими приметами нету!

— Так значит, бывшего возлюбленного Далилы звали Александр? — тут же уцепился за ее оговорку оперативник. — Выходит, вы все-таки с ним хорошо знакомы?

Какое-то время Марта Гербертовна колебалась. Но затем, видя, что оперативники от нее не отстанут, вздохнула и произнесла:

— Возлюбленным Далилы был мой родной брат — Александр! Как вы понимаете, я хорошо знаю всех, с кем он общается до сих пор. Дети, племянники... Если бы грабитель был человеком из его окружения, я бы его тоже знала!

Что же, это снимало все вопросы относительно личности грабителя. Марта Гербертовна этого человека никогда не видела, он был ей незнаком. Также вряд ли родня мужа покойной Далилы или ее возлюбленного стала бы трепыхаться из-за этой давней любовной истории Далилы и брата ее подруги.

И это было плохо, и даже очень плохо, потому что становилось совершенно непонятно, где и как искать этого типа с чемоданчиком и аккуратной прической.

Но в том, что искать его надо, сомнений не возникало. И дело тут было даже не в ограблении комнаты Далилы, недвусмысленно совпавшем с расшифровкой записки одного из братьев семьи Селивановых — Добряковых — Пельцер.

Когда подруги вместе с Лисицей оставили место преступления и вышли во двор, Кира объяснила друзьям причину своего волнения:

— Дело в том, что человека с похожими приметами видели приходившим к Михаилу. И еще одна старушка видела этого мужчину возле дома Михаила как раз в момент убийства. А перед этим Ксения — работница из кафе, расположенному неподалеку от дома Михаила, тоже видела худенького и невысокого мужчину с мелкими чертами лица. По ее словам, сначала она даже не поняла, что это мужчина. На ее глазах он избавился от женского платья и еще от какого-то пакета. И сделал это прямо возле их кафе. Просто сунул пакет в бачок с мусором, не заметив, что за ним наблюдают. Кстати говоря, я думаю, что это запросто могло быть оружие, из которого застрелили Михаила.

— Твоя свидетельница видела пистолет?

— Нет, только глушитель.

— И она сразу поняла, что это глушитель?

— Ну, честно говоря, про глушитель — это уже я придумала. Ксения только сказала, что был пакет с чем-то небольшим, но увесистым внутри. И странный металлический цилиндр.

— И все?

— Все.

— На основании только этих фактов нельзя делать вывод, что твоя Ксения видела убийцу. Это мог быть случайный прохожий, который...

— Который проходил в том же месте и в то же время, когда был убит Михаил! И выглядел он так же, как описываемый друг Михаила! Не надо увиливать от правды, это мог быть убийца! И теперь нам известны его приметы!

— Допустим. И куда ты побежишь с этими приметами?

— Ну...

— И самое главное, как это поможет вашей основной цели?

— Какой?

— Ты уже забыла? Вам предстоит спасти дом ваших друзей от сноса.

— Да, в самом деле, — сконфуженно пробормотала Кира. — А я чуть было не забыла... столько всего навалилось.

— Никогда не следует браться за два дела сразу, — наставительно произнес Лисица. — За двумя зайцами погонишься — ни одного не поймаешь.

— Не занудствуй.

— Это у вас, у мужчин, два дела никак не получаются, а мы, женщины, запросто можем и три разных дела в один момент делать.

— Ну, если вы такие продвинутые и высокоразвитые, то и разбирайтесь со своими делами сами! — неожиданно вспылил Лисица. — А мне на службу пора.

И не прощаясь, он сел в свою машину, очень сердито поглядел в последний раз из окна на подруг и вырулил со двора.

Оставшись одни, девушки на какое-то время слегка растерялись. Они чувствовали себя выбитыми из колеи. Теперь рядом с ними не было Лисицы, который одним щелчком мог решить очень многие проблемы. Им надо было рассчитывать только на самих себя.

— И что мы теперь одни будем делать?

— То же, что и раньше. Записка Федора осталась у тебя?

— И записка, и расшифровка.

— Предлагаю отдать их Ларисе. Все-таки это ей доверился пленник.

— А я предлагаю сначала наведаться на бывшую квартиру Далилы, где она жила со своим мужем.

— Зачем?

— Пока что мы только предполагаем, что злоумышленник ищет то же самое, что и мы. Некую ВЕЩЬ, которую спрятали в тайнике у Далилы.

— Но если эта вещь была спрятана в тайнике, то грабитель ее уже нашел.

— Не факт, что это был именно тот тайник. Возможно, на своей новой квартире тетушка Далила оборудовала еще один тайничок. Во всяком случае, попытаться все равно стоит.

Несколько удивленная, Марта Гербертовна все же дала подругам адрес Далилы, но сочла за должное предупредить девушек:

— Квартира давно продана другим людям. Далила оставила завещание в пользу своего племянника, а тот недолго владел квартирой. Продал, а на вырученные деньги снарядил очередную свою экспедицию. Знал, что не пропадет, потому что у Эсфири других родных также не было. Она осталась одна и всегда говорила, что оставит квартиру брату или племяннику. Так оно и случилось. Квартира досталась Михаилу.

— Значит, та квартира, в которой жил Миша в последние годы, когда-то принадлежала вашей подруге Эсфири и ее мужу?

— Совершенно верно. Муж Эсфири занимал высокое положение в одном из ведомств, о которых не принято говорить. Так что из всех трех братьев у Михаила в юности было наиболее выгодное положение. У него был отец, были любящие, заботливые и богатые тетушки. И конечно, были дедушка с бабушкой, которые души не чаяли в Мише и ради него принимали у себя также Федю и Гришу.

Хорошо иметь таких богатых и одиноких тетушек. Плохо только то, что вместе с квартирами они, похоже, оставили племяннику множество своих тайн. У Далилы имелся тайный возлюбленный, дневник и его письма. У тетушки Эсфири тоже могли оказаться какие-то свои тайны. И как знать, не погубила ли Михаила одна из этих тайн?

Но пока задумываться об этом было рано. Подруги отправлялись на новое задание, которое сами себе и придумали.

— Не знаю, как это поможет Ларисе отстоять права на дом и поможет ли ей это вообще, но чувствую, что мы должны все до конца проверить.

— Кое в чем Лисица прав. Не надо тянуть за новую ниточку, если еще старая не до конца распутана.

Увы, новая ниточка оборвалась очень быстро. Когда девушки приехали к дому, где когда-то жила тетушка Далила, во дворе не наблюдалось никакой суеты. Все было чинно и благородно. Пенсионерки мирно судачили о своих отпрысках, обсуждая, у кого жизнь сложилась счастливо, а у кого не очень. На других лавочках грелись молодые мамаши, наблюдая за ребятней в песочнице. Тут разговоры шли о прикорме, пользе и вреде витаминов натуральных и витаминов из аптеки, можно или нельзя держать в одной квартире с малышом домашнее животное, подгузниках, сосках и прочих захватывающих умы мамаш во всем мире вещах.

Но если бы у мамаш и пенсионерок нашлась более увлекательная тема для разговоров, как, например, кража в одной из соседских квартир, они бы всяко обсуждали ее, а не подгузники. Это было ясно как божий день.

И все же девушки так просто не сдались. Леся подсела на лавочку к пенсионеркам. Кира подошла к мамашам. И обе сыщицы попытались выяснить, не произошло ли какой неприятности в квартире номер пятнадцать. Именно эта квартира когда-то принадлежала тетушке Далиле и ее мужу.

— Какая еще неприятность? — немедленно насторожились старухи. — Вы что-то знаете?

Да и молодые мамаши заметно напряглись:

— Что за беда там должна случиться? Говорите ясней!

Но что могли сказать подруги? Они и сами не знали, что хотят услышать.

В итоге они уехали несолоно хлебавши, разочарованные и очень огорченные тем, что их прекрасная версия дала осечку. И ни одна из подруг не заметила, как старухи проводили их подозрительными взглядами. А одна из молодых мамаш, деловито открыв свою сумку, достала оттуда ручку и блокнотик, в который записала номер машины подруг.

ГЛАВА 13

Когда девушки вернулись вечером к себе домой, Лисица был уже там, но из своей комнаты не вышел. Дулся. Правда, когда в доме запахло ужином, он соизволил спуститься вниз, где молча проглотил роскошный холодный свекольник с молодой зеленью, свиные котлеты и салат из помидоров со сладким перцем и белым луком.

Но даже вкусный и сытный ужин, который приятель умял с видимым аппетитом, не изменил его настроения. Более того, Лисица собственноручно поставил тарелки в посудомоечную машину и сразу же вновь поднялся к себе. Молча, не проронив ни единого слова, кроме сухого «привет» вначале и такого же сухого «спасибо» в конце трапезы.

— Ну и пусть себе дуется, — решили подруги. — Скажите пожалуйста — обиделся он! Если бы мы так обижались всякий раз, когда есть причина, мы бы с ним вообще никогда не разговаривали.

Зато кошки на сей раз остались с подругами. Фантик забрался на колени к Кире, демонстрируя ей свою лояльность. Ну а Фатима принялась мурлыкать возле ног Леси и тоже была поднята в кресло. Перед девушками стоял плетенный из ротанга столик, на таких же удобно изогнутых креслах устроились они сами. Вечер был тихим, а закат, который они наблюдали, необычайно красивым.

— Двух одинаковых закатов никогда не бывает. Можно любоваться им каждый день, и никогда не надоест.

— Если бы люди почаще смотрели на небо, то преступлений стало бы совершаться меньше.

Но безмятежному времяпрепровождению не было суждено продолжаться долго. Едва солнце зашло за горизонт, как в коттедже прозвучал сигнал домофона. Кто-то пришел, но кто? Подруги сегодня никого к себе не приглашали. Что касалось Ларисы и Богдана, то подруги к ним уже наведались сегодня после работы. Но хотя Лариса внимательно выслушала отчет подруг о проделанной ими работе по расшифровке записки и даже ознакомилась с ее содержанием, взять записку себе обратно девушка отказалась.

— Нет уж, спасибо! У меня и так из-за этой бумажонки неприятностей выше крыши. С Богданом вон поссорилась. А нам, в нашей ситуации, внутренний раскол — это совсем не то, что нужно.

— А как поссорилась?

— Да уж не без вашей помощи.

— Нашей?

Подруги очень удивились. Когда они вошли в дом, где в большой комнате сидели супруги Лисицыны, Богдан демонстративно встал и вышел, ничего не ответив на приветствие подруг. Но девушки отнесли его невежливость на счет плохого настроения из-за ситуации с домом. Ну, не считает человек, что вечер сегодня добрый, так и чего на него за это обижаться?

И девушки решили прояснить ситуацию:

— Что мы натворили?

— Не лично вы, но этот ваш рыжий приятель.

— Лисица?

— Он самый!

— А он что сделал?

— Да уж натворил дел! Приперся к нам с Богдашей, когда мы уже спать собирались ложиться. И давай у нас выпытывать — как в сказке: чем дальше, тем страшней. Начал-то издалека. Спросил, где находится тот дом, в котором мы встречались с Эрнстом? Но потом дальше пошел. А где, спрашивает он у меня, где там подвал, в котором пленник сидит? Ясное дело, Богдаша про пленника услышал и заинтересовался. Я-то ему ничего не рассказывала. А тут ваш Лисица еще масла в огонь подлил. Приметы ему, видите ли, понадобились того мужика, который мне записку передал! И пошло, и поехало! Богдан со мной уже сколько времени не разговаривает! И это еще ничего. Вначале он так на меня вопил, я думала, либо стены рухнут, либо я сама оглохну!

Подруги прекрасно отдавали себе отчет в том, какое бурное объяснение ожидало Ларису после отъезда Лисицы.

— Богдан из меня всю правду вытряс. И про то, что я записку от него утаила. И про то, что про портниху соврала, а сама потащилась записку эту проклятую отдавать. И про то, что адресата этой записки практически у меня на глазах кокнули. Понимаете, какие выводы он из всего этого сделал?

Подруги догадывались. Какой муж будет доволен тем, что его любимая жена подвергает саму себя неслыханной опасности, да еще и ему про эту опасность ни гугу.

— В общем, теперь я под домашним арестом. Но с другой стороны, это и неплохо, ведь должен же кто-то и дом охранять. Пока я в нем нахожусь, вряд ли Эрнст решится повторить попытку сноса. Богдан на работу утром уходит, а я дома. Ни шагу из родных стен!

— У вас теперь прямо доисторические времена вернулись. Мужчина — добытчик. Женщина — хранительница очага.

— Не знаю, долго ли я еще выдержу. И особенно тяжело то, что Богдан со мной совсем почти не разговаривает.

Подруги ощутили недовольство Богдана и на себе. И теперь отлично понимали Ларису. Записку оставили себе и пообещали больше не тревожить покой супругов. И уже уходя, внутренне недоумевали, как это так получается, что всю историю заварила Лариса, а виноватыми оказались они? Да и расхлебывать эту историю тоже приходится им?

Они не знали, что, выпроводив их, Лариса отправилась к мужу. Присела рядом с ним, взъерошила волосы и ласково произнесла:

— Я все сделала, как ты мне сказал.

— Что именно?

— Велела девчонкам самим вести это дело.

Но вместо ожидаемой похвалы Лариса услышала гневный вопль мужа:

— Ты что, совсем ополоумела?

И вскочив на ноги, Богдан заметался по комнате.

— Ладно, ты меня используешь, как тебе заблагорассудится. Крутишь мною, как тебе удобно. Но девчонки-то за что должны страдать?

— Они сами вызвались, — пробормотала Лариса, крайне удивленная реакцией мужа. — Сами, понимаешь?

— Понимаю только то, что у твоих подруг добрые сердца! А ты, Лариса, поступаешь нехорошо, пользуясь их добротой. Так нельзя!

— Но что же мне делать? Ты мне запретил даже выходить из дома! А сидя в четырех стенах, как я могу повлиять на обстоятельства вокруг нас? Только через девчонок!

— У тебя есть я! У тебя есть твой муж! Я сам все сделаю для тебя! Совсем не нужно привлекать к делу посторонних!

Лариса совсем не собиралась ссориться с мужем еще больше. Напротив, подойдя к нему, она имела все намерения примириться с ним. Но слова Богдана задели чувствительную жилку в ее сердце, и Лариса не сдержалась и тоже закричала:

— Ах, ты все сделаешь сам? И что ты сделаешь, позволь тебя спросить? Да ты даже скатерть в химчистку неспособен доставить без приключений! Тебе ничего нельзя поручить! Ты способен запороть даже самое элементарное задание. Как я могу придумывать для тебя задания, если знаю, что ты с ними не справишься?

— А тебе вовсе и не надо придумывать мне задания. Вот увидишь, я все сделаю сам!

— И что же?

— Увидишь!

И Богдан вышел из комнаты, всем своим видом показывая, что находиться в одном помещении с женой выше его сил.

Но подруги ничего не знали о новой буре, которая грозила перевернуть семейную лодку их друзей. И сейчас, услышав звонок в ворота и оторвавшись от созерцания закатного неба, Кира пошла открывать дверь. Вернулась она обратно быстро и не одна, а в компании с Эдиком.

Тот выглядел изрядно сконфуженным, а за спиной прятал огромного плюшевого зайца. Зверь был ярко-розовый, а в лапах он держал огромное алое сердце, от одного вида которого начинало рябить в глазах.

Однако Эдик явно гордился своим зверем. И протянул он его Лесе со словами:

— Это тебе, Леся.

— Спасибо.

Леся приняла подарок и машинально начала думать, куда бы его пристроить?

Оставить уродца в доме? Нет, это выше ее сил — наблюдать его в жилых помещениях. Может, оставить его в саду? Пожалуй, животное сгодится в качестве пугала для нахальных дроздов, повадившихся воровать ягоды с куста ирги. Она у Леси была сортовая, с необычайно крупными и сочными черными ягодами. Сладкие и сочные, они пришлись по вкусу не только людям, но и птицам, которые бессовестно портили ягоды своими острыми клювиками.

Решив, куда она пристроит подарок, показавшийся ей вначале совершенно бесполезным и даже проблемным, Леся повеселела:

— Хорошо, что ты к нам заглянул. Как у тебя дела?

— А у вас?

— Ну... Тебе правду рассказать или соврать?

— Правду! — выпалил Эдик и просительно взглянул на Лесю. — И пожалуйста, ты мне всегда правду говори. Я ее лучше воспринимаю. Не надо меня обманывать. Если тебе нужна моя помощь, я тебе всегда помогу и так... без всякого вранья.

Леся покраснела.

— Лисица тебе все рассказал?

— Да. Наверное, я сам виноват. Сказал, как было, когда он меня спросил.

— И что?

— И он был страшно сердит. Кричал, что я не должен был поддаваться на ваши уловки. Что он меня предупреждал, какие вы обе аферистки.

— Он тебе выговор в личное дело не влепил?

Но это предположение Эдик отверг с возмущением.

— Для этого Лисица слишком справедлив и благороден. Он к таким мелким гнусностям не прибегает. Однако он предупредил, чтобы я вам больше не верил никогда. А я так не могу! Если мне человек нравится, то я всегда ему верю. А ты... то есть вы мне очень нравитесь... Обе!

Последнее слово Эдик выпалил очень торопливо, словно опасался, что иначе Леся может подумать о себе нечто такое... вообразить для себя, что она... придумать... размечтаться...

Теперь он был красный, словно вареный рак. И пробормотал:

— В общем, я вам все сказал. И теперь я пойду.

— Куда? — удивилась Леся. — Уже поздно.

— Правильно, уже поздно, — поддержала подругу Кира. — Оставайся у нас, Эдик.

— А это удобно?

— Постелим тебе в гостевой спальне. Будешь соседствовать с собственным начальником.

— И нам лучше. Лисица на нас сильно злой, слова доброго от него не услышишь. Если ты останешься у нас, атмосфера в доме немного разрядится.

Так оно и оказалось. Услышав голос Эдика, Лисица немедленно выполз из своей комнаты. Правда, сделал он это лишь для того, чтобы забрать Эдика к себе. А подругам он заявил:

— Мы с Эдиком идем в сад, нам есть что обсудить. А вы сообразите нам закуску.

Это была самая длинная фраза, которую они услышали от Лисицы за целый вечер. Но уже то, что он обратился к ним сам, позволяло надеяться на скорое перемирие. Поэтому девушки поспешно выставили на поднос закуску вкупе с запотевшей в холодильнике бутылкой водки и отнесли поднос мужикам. А потом отошли с глаз подальше, чтобы усыпить бдительность кавалеров.

Кошки тоже разделились. Фантик остался рядом с мужчинами. Кот устроился на коленях Эдика, довольно щурясь, когда тот гладил его по голове. А Фатима прибежала к подругам, уселась рядом с ними и стала ждать, когда мужчины дозреют до требуемой кондиции.

Расчет подруг оказался верен. Не прошло и получаса, как оба приятеля выпили, расслабились, и голоса их стали отлично слышны подругам.

— Раз уж мы так с тобой оба влипли, то должны держаться вместе.

— Друг за дружку горой!

— С этими... двумя иначе просто нельзя! Не выживешь!

— Понимаю.

Прошло еще полчаса, и разговор сделался совсем откровенным. Обняв друг друга за плечи, Лисица с Эдиком предались жалости к себе любимым. Особенно старался Лисица.

— Если бы ты знал, сколько мне пришлось от них вытерпеть за эти годы! Эти девицы... сколько они мне крови попортили! Особенно Кира...

— А что с ней?

— Она... ей как будто нравится мучить меня. Сколько раз я давал себе клятву больше к ней ни ногой. И что ты думаешь?

— Что?

— Через неделю, максимум через месяц я снова приползал.

— А она... она знает?

— О чем?

— Ну, что ты ее любишь?

— Люблю? Кто тебе сказал такую глупость? Да я ее ненавижу! Своими бы руками придушил гадину! Да только что мне делать потом? Как жить? Самому в петлю впору. Как представлю, что нету ее в этом мире, нету рядом со мной, до того тошно делается, просто жить не хочется.

Леся покосилась на подругу. Как она воспринимает пьяные откровения Лисицы. Недовольна? Сердита? Но к ее немалому удивлению, лицо у Киры расплылось в какой-то дурацкой счастливой улыбке. И повернувшись к Лесе, она рассмеялась:

— Нет, ты слышала? Какой же он дурак! Милый, милый ничего не понимающий дуралей. И как же я его люблю за это!

С этими словами Кира вскочила со скамейки и бросилась в дом. А Леся так и осталась сидеть в полном оцепенении. И почему Кира назвала дураком Лисицу? Если кто тут и глуп, то это только она сама!

— Видишь, Фатима, — подхватила она кошку за мягкое пузо. — Наша Кира совсем глупенькая. Маразм подкрался к ней, не дожидаясь старости. Какой мужчина ее любит, а она этого не замечает просто изо всех сил!

Утро началось для подруг очень рано. Похоже, это стало входить у них в привычку. Было еще только семь утра, когда домофон ожил.

— Что еще случилось?

— Кто там?

Но там не было никого приятного, там была полиция. И вовсе не следователь Смелый. У ворот стоял совсем не знакомый подругам молодой майор по фамилии Канарейкин, он желал их видеть, причем немедленно.

— Мы не одеты.

— Даю вам на сборы ровно десять минут. Если через десять минут вы не откроете дверь, это будет расценено как сопротивление властям.

Перепуганные подруги второпях натянули на себя одежду и впустили маленького и какого-то одутловатого следователя со смешной фамилией Канарейкин в свой коттедж еще до того, как истекли отпущенные им десять минут.

Следователь оказался кубышечкой. Он прочно стоял на коротеньких ножках и буравил подруг маленькими заплывшими жиром глазками. Ощущение было не из приятных. Почему-то перед глазами замелькали кадры из военных фильмов с участием сотрудников гестапо.

Кира поежилась. То ли от утреннего холодка, то ли от взгляда следователя, ее кожа покрылась мурашками. И спросила:

— Чем обязаны столь раннему визиту?

— Молчать! — неожиданно грозно гаркнул на нее Канарейкин. — Вопросы тут задаю я!

А двое сопровождающих выразительно лязгнули зубами. Подруги опешили. Они не совершили ничего плохого. И теперь решительно не понимали, почему этот майор орет на них. Да еще и явился к ним незваным в столь ранний час.

— Кому из вас принадлежит машина марки «Гольф» голубого цвета, государственный регистрационный номер...

Кира пожала плечами:

— Официально машина записана на меня. Но пользуемся мы ею обе — я и моя подруга Леся.

— И кто был за рулем вчера приблизительно в четыре часа дня?

— Ну... я была.

— А ваша подруга?

— Она тоже была со мной.

— Значит, вы этого не отрицаете?

— А почему я должна это отрицать?

— Отвечать, а не спрашивать!

— Это правда, мы обе были на «гольфике», ездили... по своим делам.

— Так-так, — зловеще произнес Канарейкин. — И по каким же это делам?

— А почему вас это интересует? Какое вам дело до наших дел?

— Вопросы тут задаю я!

Кире показалось, что майор влепит ей сейчас затрещину. Но нет, обошлось. Зато громкий голос Канарейкина разбудил Лисицу и Эдика.

— Девчонки, что у вас там случилось? — подал голос Лисица. — Кто-то пришел?

Услышав мужской голос, следователь схватился за бок, где у него обнаружилась кобура. Он выхватил из нее пистолет и свистящим шепотом осведомился у подруг:

— В доме есть кто-то еще?

— Да. Наши друзья.

— Сколько их?

— Двое.

— Они наверху?

— В гостевых спальнях, но...

Однако Канарейкин не позволил Кире договорить. Сделав знак, чтобы она замолчала, сам он начал подниматься по ступеням лестницы наверх. Его сопровождающие двинулись за ним. Подруги следили за ними со все возрастающей тревогой. Пусть у Канарейкина было удостоверение, которое он им продемонстрировал прежде, чем войти, но разве в наше время удостоверение может считаться гарантом того, что с вами не произойдет ничего дурного? Удостоверение очень легко подделать. А поведение Канарейкина и его людей представлялось подругам однозначно угрожающим.

— Ты видела? У них оружие!

— Надо предупредить ребят.

Но в этот момент наверху раздались крики.

— Поздно, — ахнула Кира. — Остается последнее...

И бросившись к стене, Кира нажала тревожную кнопку. Такими кнопками были оборудованы все коттеджи в «Чудном уголке». Благодаря им можно было не опасаться, что на вас нападут в вашем же собственном доме, а вы не будете знать, что вам делать и откуда ждать подмоги.

Теперь подругам только и оставалось, что расслабиться и ждать, когда им на выручку примчится вооруженная до зубов охрана поселка и разберется с этим Канарейкиным и его людьми. Пусть в другой раз трижды подумают, прежде чем врываться в дом к ни в чем не повинным молодым девушкам, пугать их и размахивать оружием!

Ждать поддержки извне долго не пришлось. Канарейкин со своими людьми только и успели, что стащить Лисицу и Эдика вниз, а в дом уже входил глава поселка — старый Таракан — отставной генерал разведки в сопровождении ребят из службы охраны поселка. Все они были крепкими малыми и могли дать сто очков вперед тому же Канарейкину по части воинской подготовки.

Видимо, Канарейкин тоже понял, что проигрывает вошедшим в дом по численности, потому что голос его прозвучал не грозно, а скорее жалобно.

— Спокойно, вы присутствуете при задержании особ, подозреваемых в совершении противоправных действий.

— Майор, вы хотите задержать моих друзей, — спокойно произнес Таракан. — Причем действуете нагло, без согласования со мной. А что касается тех двоих молодых людей, на которых вы столь поспешно нацепили наручники, то оба они офицеры.

Канарейкин явно не ожидал подобного расклада. Лицо у него вытянулось и заметно побледнело.

— Офицеры... — пробормотал он. — Но... но как же так? По имеющейся у нас оперативной наработке, в этом доме проживают преступницы.

— Объяснитесь, — потребовал Таракан. — Если вы имеете в виду этих двух девушек, то я лично ручаюсь вам за их порядочность.

— Они подозреваются в совершении взлома квартиры семьи Щукиных.

— Основания?

— Вчера во второй половине дня ваших подопечных видели во дворе дома Щукиных. Они подозрительно интересовались квартирой. Даже назвали ее номер. И к тому же задавали разные наводящие вопросы насчет этих людей.

Тень понимания мелькнула в бедных головах подруг. Щукины — это те люди, которые поселились в бывшей квартире тетушки Далилы. И квартира эта взломана! Но подруги постарались сдержать охватившее их волнение. Они лишь молча переглянулись, что не укрылось от глаз Таракана.

Тот строго прищурился на подруг, но девушки лишь развели руками. Они ничего плохого не делали. Им не в чем было каяться.

— Что еще вы предполагаете поставить в вину моим знакомым?

— После ухода ваших знакомых соседки обсудили между собой ситуацию, встревожились и пошли предупредить Щукиных о том, что к их квартире проявляют подозрительное внимание какие-то непонятные особы. Щукиных дома не оказалось. Вся семья проводит летнее время на даче. У них двое маленьких детей, поэтому они предпочитают летом жить за городом.

— Вполне понятное желание. Дальше, майор.

— Так вот, Щукиных дома не оказалось, но дверь в их квартиру была открыта! И более того, она была вскрыта с помощью отмычки.

— И только на основании размытых показаний соседей вы собирались задержать этих девушек?

— Они ограбили Щукиных, разве не ясно? Они наводчицы, а возможно, что и воровки!

— Мне так совсем не кажется, — покачал головой Таракан. — Но полагаю, у самих девушек найдется лучшее объяснение всему случившемуся. — И повернувшись к подругам, он произнес: — Ну, мои красавицы, как вы объясните свой интерес к семейству Щукиных и их квартире? Только предупреждаю вас сразу, не финтите и не увиливайте. Иначе майор быстро вас приструнит, верно, господин Канарейкин?

Майор кивнул и вытер носовым платком раннюю лысину. А девушки принялись объяснять:

— Мы и не собираемся ничего скрывать! Наоборот, страшно рады, что квартира Щукиных взломана! То есть не то чтобы рады их беде. Но этот взлом подтверждает наши подозрения.

Начать подругам пришлось издалека. И к тому времени, когда они закончили, время завтрака давно миновало. Стало припекать. И Канарейкин все чаще и чаще вытирал вспотевший лоб. Не столько от жары, сколько от волнения. Видимо, за время его службы ему впервые приходилось сталкиваться с таким необычным случаем. И он откровенно не знал, как ему поступать в данной ситуации.

— Вот так и получилось, что мы оказались во дворе дома тетушки Далилы. Мы знаем, кто мог вскрыть ее бывшую квартиру. И знаем, что именно искал там грабитель. Он ведь ничего не взял, верно?

Все уставились на Канарейкина, который был вынужден подтвердить:

— Верно. Ничего не пропало.

— Но взломщик что-нибудь сломал?

— Изуродовал прихожую. Стена оказалась проломана примерно на уровне глаз.

— Там был тайник?

— Небольшое отверстие в стене.

— Можно нам взглянуть на этот тайник?

Канарейкин ничуть не обрадовался этому предложению. Он уже открыл рот, чтобы отказать подругам, но тут Таракан очень вовремя шагнул вперед.

— Под мою личную ответственность, майор, — произнес он. — И пожалуйста, освободите этих офицеров. Хочу, чтобы они сопровождали девушек.

Канарейкин кивнул своим людям. Те проворно освободили руки Лисицы и Эдика от сковывающих их «браслетов».

Полицейские были сильно раздосадованы тем, что раскрыть преступление по горячим следам им не удалось. Перспективные подозреваемые, которых при другом раскладе запросто можно было бы раскрутить на признание, уплыли у них из рук. Эх, не появись старый генерал, сидеть бы девчонкам в камере! А уж посидев там три дня, они бы сами признались во всем, даже в том, чего и не думали делать!

Разочарование было так явно написано на лице Канарейкина, что подругам даже сделалось неудобно перед ним. Что это они в самом деле! Человек старался, работал. Опросил свидетелей, сделал выводы. Потом нашел по базе данных через номера на машине координаты самих хозяек голубого «Гольфа». Примчался со своей командой в «Чудный уголок», даже задержание почти что провел. И что? Все хлопоты и суета впустую!

И чтобы хоть как-то утешить полицейских, добрая Леся предложила:

— А теперь давайте все вместе выпьем чаю!

Но от чая Канарейкин и его люди отказались так поспешно, что сразу же становилось ясно: за стол с теми, кто так жестоко их обломал, они не сядут ни в коем случае.

— В виде исключения квартиру Щукиных можете посетить, — уходя, сухо произнес Канарейкин. — Я предупрежу участкового, он вас проводит и проследит, чтобы вы там ничего не трогали.

Так что чай подругам пришлось пить лишь в обществе Лисицы и Эдика. Но они против этого не возражали. Канарейкин им ничуть не понравился. И было бы затруднительно улыбаться человеку, который так грубо обошелся с вашими друзьями у вас на глазах.

ГЛАВА 14

Зато на квартиру Щукиных подруги прибыли с почетным эскортом. На сей раз их сопровождал не только Лисица, но и Эдик. Хотя Таракан и находился в отставке, но почему-то именно он отдавал распоряжения, которые выполняли люди из отдела Лисицы.

О сложностях внутренней субординации в том месте, где нынче работал Лисица, подруги уже перестали задумываться. К чему ломать голову над теми загадками, ответа на которые тебе никогда не узнать? А если даже и узнаешь, недолго после этого проживешь спокойно. Нет уж, покоя им и без того маловато, чтобы еще совать свои носы в вопросы, которые не больно-то их и интересуют.

Поэтому девушки сосредоточили все свое внимание на том деле, которое им было в данный момент конкретно поручено.

Квартира тетушки Далилы ничем не напоминала квартиру ее сестры, отца и подруги. Те квартиры находились в центре города, располагались в старинных зданиях. И обставлены были антиквариатом в духе седой старины. Тетушка

Далила со своим мужем проживали в самом обычном блочном доме, правда, на момент их вселения в него он должен был быть сияющей свежестью новостройкой.

— Наверное, поэтому Михаил и не захотел оставить себе эту квартиру. Она самая обычная, глазу не за что зацепиться.

В квартире было две комнаты, которые полагались мужу Далилы, как старшему специалисту на заводе, на котором он проработал всю свою жизнь. Марта Гербертовна не скрыла от подруг, что Далила вышла замуж поздно и лишь после того, как разочаровалась в своем возлюбленном. Женщина решила, что он никогда не освободится от брачных уз, и связала себя подобными же узами, чтобы не так обидно было ждать у моря погоды.

Но выйдя замуж, Далила открыла в своем муже множество достоинств и не захотела его оставить, когда подвернулся такой случай.

— Наверное, грызла себя целыми днями напролет. Гордилась тем, какая она благородная, и в то же время уничтожала себя изнутри.

Тетушка Далила ушла из жизни довольно рано. Ей едва стукнуло шестьдесят. Вот к чему приводит жизнь с нелюбимым мужем, пусть даже вы стократно восхищаетесь им как благородным человеком и ценным работником производства.

Оказавшись в бывшей квартире тети Далилы, подруги невольно искали глазами какие-то следы пребывания этой женщины. Напрасно. Новые хозяева начисто вытравили дух умершей хозяйки, сделали ремонт, перепланировку. Не тронули только прихожую, которая их устраивала и так.

Сегодня все семейство Щукиных было тут. Муж, жена и двое малышей, которые пугливо жались к ногам своей бабушки. Глаза у их матери были заплаканы.

— Как чувствовала, не надо было покупать эту квартиру! Ведь говорила же, не будет счастья там, где человек умер!

— Если хотела идеальную квартиру, выбирала бы жилье в новом доме! — немедленно парировала бабушка. — Молчи, муж тебе такие хоромы купил, а ты все кривишься! Сколько лет клад у тебя за стеной лежал, а ты и ухом не вела, лентяйка! Только и знала, что мужа пилить, купи шкаф в прихожую, купи шкаф в прихожую! Вот он тебе купил шкаф! И что? Сокровище за шкафом оказалось спрятанным!

Подруги решили, что это свекровь с невесткой, но оказалось, любезностями обмениваются мама с дочкой.

— Мама, ты всегда на стороне Владьки!

— И правильно! — не дрогнула старуха. — Муж тебе достался золотой! Все твои капризы исполняет! Чего нюни распустила?

— Мама, очнись, нас ограбили!

— Ни копейки нашей кровной не взяли.

— Тайник обчистили!

— Не наш он был!

— Стену продырявили.

— Задвинем обратно шкаф, никто и не заметит! Было бы из-за чего голову себе забивать! Все, детки, мама у нас ненормальная, пойдемтека мы с вами в комнату, в лото спокойно поиграем.

И старуха увела ребятишек. Жена ушла на кухню. Муж, потоптавшись, последовал за ней. А подруги вместе с Лисицей и Эдиком с любопытством принялись рассматривать место происшествия.

Дыра в стене бросалась в глаза еще издали. Для того чтобы добраться именно до этого места, грабителю пришлось отодвинуть шкаф, который установили здесь новые хозяева.

— Грабитель точно знал, где искать тайник.

— Да уж, от нечего делать такой шкаф двигать не станешь.

— Значит, грабитель в этой квартире бывал и прежде.

— И знал, где у хозяев имеется тайник.

Но если предположить, что грабитель из дома тетушки Далилы и грабитель из квартиры профессора Добрякова — это одно и то же лицо, значит, этот тип должен был хорошо знать всю семью профессора.

— А если пойти еще дальше и предположить, что этот же человек и Михаила убил? Тогда что?

— Тогда получается, что он и шифр записки должен был знать. Ведь он прочел ее. Понял ее содержание. Пошел искать тайник, а перед этим прикончил Михаила.

— Это факт. Не прочти он записку, за каким фигом он бы начал громить все тайники, связанные с тетушкой Далилой?

А она, эта, тетушка была большой любительницей секретов. В отцовской квартире у нее имелся тайничок. И в квартире мужа она тоже дыру в стене проковыряла. Интересно, для каких целей?

Ответ на этот вопрос дала Марта Гербертовна.

— Профессор обеих своих девочек баловал. На каждый день рождения дарил им ювелирные украшения. И не какие-нибудь дешевенькие фианиты, а настоящие самоцветы. У него был один еще школьный приятель, который не пожелал забивать себе голову книжной премудростью, а пошел в ювелиры. Работал на дому, изготавливая изделия на заказ. И еще работал в ювелирной скупке.

— Профессор дарил своим дочерям антикварные украшения?

— Далиле нет. Но раньше золото в скупке приобреталось на вес. Камень, каким бы дорогим он ни был, просто безжалостно изымался из оправы как не подлежащая приобретению вещь. Кто-то из клиентов забирал камни с собой, но кто-то оставлял. Ну а дальше цепочка ясна. Ювелир изготавливал для камня новую модную оправу. И готово украшение! Или можно было даже оставить старую оправу. Но Далила такие украшения не любила.

— Значит, у нее была хорошая коллекция ювелирных украшений? Она ее и прятала в тайниках?

— Да.

— И где коллекция сейчас?

— Увы. Я же вам говорила, что Далила рано ушла из жизни. А перед смертью она тяжело болела. Все ценности из тайника ушли на ее лечение.

Значит, грабитель проник в квартиру Далилы отнюдь не из-за ее коллекции драгоценностей. Коллекция была уже давно продана, а деньги истрачены.

Да и сама Марта Гербертовна выразила сомнение:

— Скорей уж грабители стали охотиться за коллекцией Эсфири. Вот она была любительницей старины. И совсем не возражала, когда отец дарил ей старинные украшения из вторых или даже третьих рук. Сейчас бы многие из этих вещей стоили очень дорого.

— И где эти украшения в настоящий момент?

— Полагаю, достались Михаилу вместе с квартирой. Подруга неоднократно упоминала о своем намерении оставить все, что имеет, брату или племяннику. Так и случилось. А уж куда подевал их Миша, я вам сказать не могу. Хоть мы с ним и были в дружеских отношениях, но не настолько близких, чтобы я задавала ему подобные вопросы.

Итак, теперь подруги знали, что взломщика привлекали в бывшей квартире тетушки Далилы вовсе не какие-то там ценности, якобы скрытые в тайнике. Сам тайник хотя и существовал, но был давно пуст. И заинтересовать грабителя он мог лишь по одной причине. Грабитель счел, что в этом тайнике может храниться та вещь, которая упоминалась в записке Федора. Но ведь записка была написана одним братом и адресована другому.

— Если Федор знал шифр, Михаил знал шифр, выходит, и Григорий мог его знать?

— И даже наверняка он его знал. Братья росли вместе. Живя в одной квартире, трудно иметь друг от друга секреты.

— Но если убийца Михаила пошел по следу, указанному в записке, значит, он ее прочел. Значит, это был третий брат — Гриша! Тот самый Григорий по кличке Распутин!

— Вот это было бы здорово! — не сдержавшись, воскликнула Леся. — Убийство!

И увидев недоумевающие взгляды друзей, пояснила:

— От такого обвинения Гришке Распутину точно не отвертеться!

— Он и думать забудет про свою строительную корпорацию, Ларису и снос ее дома!

— Куда там! Окажется на нарах, только о себе болезном и сможет думать! Как говорится, не до жиру, быть бы живу!

Но Лисица строго пресек полет фантазии обеих подруг.

— Давайте не будем домысливать, — сказал он. — Пока что у нас нету никаких доказательств того, что убийца — Григорий Селиванов по кличке Распутин.

— Почему?

— Хотя бы уже потому, что Распутин никак не подходит под описание преступника.

Ну да, Григорий Распутин был крупным мужчиной с грубыми чертами лица. А преступник, которого видело уже немало свидетелей, был худощавым, невысокого роста и с мелкими чертами.

— Григорий мог нанять для убийства брата наемного убийцу! С его-то деньгами совсем необязательно марать руки самому!

Лисица помолчал, а потом неохотно признал:

— Выстрел сделан мастерски. Оружие, из которого произведен выстрел, опять же, числится украденным. Узнать по стволу имя его нынешнего владельца не представляется возможным. Да, похоже на работу профессионального киллера.

Подруги переглянулись. Они знали, Лисица говорит не просто так с бухты-барахты. Он заранее навел справки об оружии. А уж как он это сделал, подруг не касается. Самое главное, теперь они могли сделать далеко идущий вывод:

— Это был киллер!

— Михаила застрелил наемный убийца, нанятый Григорием!

— А теперь этот же киллер ищет вещь, спрятанную в одном из тайников Далилы.

Однако Лисица не был настроен соглашаться.

— Но откуда киллер мог узнать содержимое записки? — возразил он. — Пусть даже убийца и увидел в руках Михаила записку и даже взглянул на символы, но как он мог понять, о чем там речь?

— Михаил ему сам прочитал.

— И как вы себе это представляете? Михаил видит на пороге незнакомого ему мужчину и начинает читать ему вслух записку? Да еще такую, содержимое которой предпочел бы сохранить в тайне от всех?

— Убийца мог потом сделать расшифровку.

— Как?

— Нам же это удалось! Могло получиться и у него. Викентий сказал, шифр примитивный!

— Да? Примитивный? А у вашего киллера, наверное, фотографическая память? Он способен воспроизводить огромные текстовые объемы, лишь один раз взглянув на запись? Просто не человек, а сканер.

— Почему?

— Опять «почему»! Записку-то убийца не взял! Это уже после сделала Лариса.

Действительно, записка находилась у Михаила в пальцах. Сам он был мертв, а записка была при нем. И все равно подруги оставались при своем мнении.

— Грабитель и он же убийца Михаила убил свою жертву, каким-то образом понял, что в записке, и начал действовать. Теперь он захотел изъять вещь из тайника Далилы. Присвоить эту вещь себе!

Лисица махнул рукой на подруг:

— Думайте, что хотите.

— Но что это за вещь? Вот вопрос.

— И все-таки, как киллер мог прочесть содержимое записки? — теперь уже вмешался в разговор Эдик. — Вы, девочки, чего-то загибаете. Тут действуют два разных человека.

— Правильно, — обрадовался Лисица, заполучив единомышленника. — Один — убил Михаила. А второй — вскрывает квартиры его тетушки Далилы одну за одной. Просто они похожи. Даже не похожи, а так... типаж один. Мелкие и худощавые.

Девушки не стали спорить. Пусть мужчины думают, что преступников двое — это их дело. А подруги уверены, что убийца и грабитель — это один и тот же человек. Только он до сих пор им неизвестен. Но убийцу мог послать к Михаилу его брат — Гришка Селиванов по кличке Распутин. Он же и про содержание записки ему сказал. Если шифр придумали трое братьев, то все они отлично могли им воспользоваться и с легкостью как составить зашифрованное послание, так его и прочесть.

Возможно, в камере у Федора была спрятана камера наблюдения. И хозяин дома оказался осведомлен о том, что затеял Федор. Сделал упреждающий удар и послал киллера, чтобы тот прикончил Михаила. Мертвый Михаил точно не смог бы достать вещь из тайника Далилы. А затем, когда киллер разделался с Михаилом, злодей отправил его за таинственной вещью.

Ну, раз преступник охотился за вещью в тайнике Далилы, значит, она была позарез нужна и подругам.

И чтобы отвлечься, Леся задумчиво протянула:

— Интересно, но он хоть в этот-то раз нашел то, что искал?

— В самом деле, это уже второй тайник, который вскрыл преступник. Нашел он то, что искал?

— Меня больше интересует другой вопрос.

— Какой?

— С чего вдруг этому Григорию Селиванову приспичило открыть военные действия против членов своей собственной семьи?

Эти слова Лисицы заставили подруг задуматься. Действительно, зачем Селиванову воевать с членами своей семьи? Он очень богат. Наследство, оставшееся после Михаила, вряд ли его может привлечь. И тем не менее злой умысел Григория налицо. Ведь он держит в подвале одного своего брата. Держит в заложниках племянников.

— Мы даже подозреваем, что это он сделал заказ на убийство Михаила.

— Да. Так мы и думаем.

— Ну, и зачем Распутину все это надо?

Вот это была действительно загадка из загадок. А ответа на нее ни у кого из сыщиков пока что не было. А между тем именно от правильности решения этой загадки и зависело все их дальнейшее расследование.

Распрощавшись с Лисицей и Эдиком, которым надо было на службу, подруги тоже отправились к себе в офис. Не мешало и им немножко потрудиться во благо себе любимым. Но по дороге к офису они продолжали обсуждать ситуацию.

— Если эта вещь так нужна Григорию, что он готов ради нее пойти по трупам, значит, это нечто очень ценное.

— Себе мы ее не присвоим. Но если мы найдем вещь первыми, то у нас будет хороший козырь, чтобы начать торг с Григорием.

— Правильно, мы ему — вещь, а он нам — дом Ларисы! Обмен равноценный, как считаешь?

Кира считала, что более чем. Если уж ради обладания этой вещью Гришка Распутин убил одного брата и похитил второго, значит, она нужна ему позарез. И значит, он отдаст за обладание ею все на свете. А уж дом Ларисы и Богдана запросто вернет его законным владельцам.

Но пока это были только мечты, потому что «вещи» подруги не имели и даже не представляли, что это такое может быть. Почему бы Федору было не написать более подробно о своих намерениях? Что это за неуместная краткость? Ведь ничего же не понятно!

— А вот Михаил явно знал, о чем идет речь.

— Видимо, братья заранее обсуждали между собой такую возможность, когда один из них угодит в беду по вине Григория. И составили план подстраховки на этот случай.

— Имея в кровных родственничках такого типа, как этот Григорий, такая осторожность неудивительна.

Старшие братья разработали план спасения из лап младшего братца. Но вот в чем состоял этот их план? Подруги терялись в догадках и готовы были плакать от разочарования. Одно они понимали: если спрятанная в тайнике тетушки Далилы вещь была так ценна для Григория, то братья должны были выбрать для ее хранения очень надежное место.

До вечера подруги усердно работали в офисе. Переделали кучу дел. Разгребли завалы, образовавшиеся по причине их прогулов. И только потом поехали домой. А поздно вечером им позвонила необычно хмурая и озабоченная Лариса, которая дрожащим голосом поинтересовалась, не у них ли находится ее Богдан.

— Нет, у нас его нет и не было. Мы с ним сегодня даже не разговаривали. А что случилось?

— Не знаю. Он ушел утром и вот... до сих пор его нету.

— Так позвони ему.

— Думаете, я не звонила? Сто или даже двести раз набрала его номер. И родителей попросила ему позвонить со своих телефонов. Специально это сделала на случай, если Богдан просто не хочет со мной разговаривать.

— И что?

— Все бесполезно. У него труба выключена.

— А куда он сегодня собирался?

— На работу. Должен был вернуться к семи, но сейчас уже почти десять, а его все нет.

В голосе Ларисы отчетливо слышались слезы. Но подруги полагали, что волноваться еще рано.

— Твой Богдан и раньше пропадал.

— Но не в такой ситуации, когда снос дома может начаться вновь в любую минуту! Богдан это прекрасно знает. Он бы никогда не выключил свой телефон, зная, что он мне может понадобиться.

— Может, он у него сел.

— На работе у Богдана есть запасная зарядка.

— Ну... потерял свой телефон. Всякое бывает.

— Купил бы себе тут же новый. Деньги у него есть, а нам с ним быть на связи жизненно необходимо!

Фантазия подруг иссякла. И они предложили Ларисе:

— Хочешь, мы к тебе приедем?

— А вы можете?

— В общем, да. Нас никто не держит.

Лисицы еще не было. Кира звонила ему двумя часами ранее, Лисица сказал, что сильно занят. Что, когда освободится, сам позвонит. Но не звонил и никак иначе о себе не давал знать.

— Мы едем к тебе! — решила Кира.

Но как только она это решила, возле дома послышался звук тормозящих колес и открывающихся ворот. А секунду спустя голос Лисицы уже раздался на подъездной дорожке к гаражу.

— Нет, что хочешь мне говори, а мужик крепко влип. Честно говоря, я вообще не уверен, что он до сих пор жив.

— В права наследования он еще не вступил, значит, жив, — возразил голос Эдика.

— Только на это и остается надеяться. Но как только он получит наследство — все, он покойник!

Подруги переглянулись и кинулись к своим друзьям.

— Какое наследство? Кто покойник? О чем вы говорите?

Лисица насмешливо присвистнул.

— Видал? — обратился он к Эдику. — Вот это слух. Кира, у тебя что, вместо ушей локаторы?

— Ничего у меня не локаторы. Вы сами громко разговаривали. Глухой — и тот бы услышал!

Лисица ничего не ответил и двинулся к дому. Эдик отправился за ним следом. Но если к Лисице подруги не хотели лезть, знали, что если тот сам не захочет рассказать, то бесполезно что-то из него пытаться выудить, то Эдика они атаковали с двух сторон.

— О чем вы говорили?

— Кто наследник?

— Ваш разговор как-то связан с тем делом, которым мы занимаемся?

— А как связан?

Эдик растерялся. Он открыл рот, не зная, что ответить. Но в этот момент его спас Лисица.

— А ну-ка, брысь на кухню! — крикнул он подругам. — Пока мы с Эдиком не получим сытного ужина, вы из нас и слова не вытянете!

Девушки не осмелились спорить. Да и о чем? Лисица рассудил справедливо. Мужчины добыли сведения, при таком раскладе с женщин ужин. Правда, высказаться он мог бы и повежливей. Но если уж на то пошло, то особо хорошим воспитанием Лисица никогда не отличался. Однако перевоспитывать его именно сейчас подругам было не с руки. И поэтому девушки отправились, куда их послали — на кухню. Только от них теперь зависело, как скоро они услышат новости. А в том, что новости у ребят были, и новости грандиозные, девушки не сомневались.

Так что они побыстрей сварганили яичницу с салом, разогрели остатки вчерашнего ужина, которые уцелели благодаря тому, что утром после визита Канарейкина ни у кого аппетита особо не было, и быстренько отнесли все в столовую.

— Так что все-таки произошло? — не выдержала Кира, когда последний кусочек поджаристого бекона исчез с тарелки Лисицы. — Что вы узнали?

Но Лисица не был бы самим собой, если бы сразу начал говорить.

— А десерт? — строго произнес он.

— У нас есть мороженое. Будешь?

— Тогда лучше компот.

Леся метнулась на кухню, вспорола банку с прошлогодним компотом, волнуясь, плеснула его в кувшин и помчалась назад.

— Вот! Пей!

Лисица со смаком выпил свой стакан.

— А Эдику?

Леся налила еще один стакан и подала его Эдику. Лисица посмотрел, как тот выпил, и только потом сказал:

— Пожалуй, я бы выпил еще стаканчик.

— Конечно, — скрипнув зубами, произнесла Леся. — На здоровье, дорогой.

На самом деле она с куда большим удовольствием вылила бы весь оставшийся компот на голову этого садиста. Но тогда они с Кирой точно бы ничего не услышали. Приходилось играть по правилам Лисицы. Но Леся дала себе зарок: при первом же удобном случае она отомстит Лисице за его издевательства. Страшно отомстит! Он надолго забудет, как издеваться над людьми!

Наконец весь компот был выпит. Больше пить и есть было нечего. И убедившись в этом, Лисица начал свой рассказ.

— Вообще-то, благодарить вы должны Эдика. Это его идея послать запрос по поводу личности Леонида Пельцера.

— Нет, нет, — запротестовал Эдик. — Если бы Леся не попросила меня выяснить о судьбе этого эмигранта, я бы никогда сам не сделал запроса. Все лавры принадлежат ей.

Подруги переглянулись. По-видимому, их невинное желание побольше разузнать об отце Федора и его семье принесло богатые плоды.

— Запрос... Вы послали запрос... но куда?

— Куда надо. Дело в другом. На запрос Эдика наши заокеанские коллеги очень любезно ответили, что господин Пельцер Леонид, еще в семидесятых годах прошлого столетия испросивший в их прекрасной стране политического убежища, в поле их зрения ни разу не попадал, вел исключительно добропорядочный образ жизни и даже в бизнесе своем никогда не допускал махинаций.

— А что за бизнес у него появился? Из СССР отец Федора эмигрировал с пустым карманом.

— Даже квартиру оставил сыну!

И тем не менее, оказавшись в чужой стране один, практически без средств к существованию, не зная толком языка и законов, Леонид Пельцер не только не погиб, но вполне преуспел. Он двигался к цели постепенно. Сначала удовольствовался тем, что получил пособие, на которое мог сносно существовать. Затем выучил язык и освоил азы предпринимательства в Америке. Недолго поработал в патентном бюро, просчитывая и проверяя, действительно ли выгодно то или иное изобретение, как это утверждает его изобретатель.

— Ну а затем организовал собственный бизнес, построенный на претворении в жизнь различных новаторских изобретений — как своих собственных, так и других ученых-изобретателей.

Высоко Леонид никогда не рвался. За буйки, как говорят, не заплывал. Однако все свои заработанные деньги вкладывал чрезвычайно выгодно. Ни разу Леонида не коснулся ни крах банков, ни обрушение финансовых пирамид. Он и сам мог бы дать сто очков форы всем этим банкирам и финансистам, потому что, как уже говорилось, обладал золотыми мозгами.

Леонид не жадничал, не мошенничал, и, однако же, к моменту смерти его состояние приближалось к сотне миллионов долларов. Поистине удивительная предприимчивость для человека, прибывшего в Соединенные Штаты Америки в статусе нищего эмигранта. Но о тех временах, когда Леня Пельцер был нищим, можно было забыть. Теперь на его счетах, в акциях и других активах хранились огромные богатства. И самое интересное, что все свое состояние Леонид завещал одному человеку.

— А именно своему единственному сыну Федору. Мальчику, оставленному им на далекой советской Родине.

В головах у подруг кое-что начало проясняться. И все же многого они еще не понимали.

— А Федор об этом знал?

— Нет, не думаю. Когда неделю назад или чуть больше адвокаты Леонида начали поиск его сына, они Федора уже не застали.

— Григорий похитил брата, чтобы присвоить себе его наследство!

— Американским адвокатам понадобилось какое-то время, чтобы связаться со своими российскими коллегами. Всякие там согласования и прочие бюрократические процедуры. На это у них ушло около двух недель.

— А Григорий действовал более оперативно!

— Да, юристы утверждают, что поиски Федора они вели очень тщательно. Они приходили даже к его брату — Михаилу. Но и тот не смог внятно объяснить, куда подевался Федор.

— Гришка Распутин позарился на наследство своего брата — Федора! Как его родной брат, он является его наследником. Разумеется, после родных детей Федора!

— Мы тоже так подумали. Тогда становится понятным, почему Григорий держит у себя также и своих племянников — сына и дочь Федора.

— Ну да, правильно! Они ведь тоже наследники!

— Более того, не они одни.

— А кто еще? — удивились подруги, но тут же спохватились и воскликнули: — Михаил! Так вот почему Григорий велел его убрать! Опасался, что брат составит ему конкуренцию в дележе наследства Леонида Пельцера.

Действительно, если убрать Федора и его детей, то наследство заокеанского миллионера все равно досталось бы Гришке Распутину не в полном объеме. Существовал еще один наследник — их общий с Федором брат — Михаил. И устранять наследников, мешающихся у него под ногами на пути к миллионам долларов, Гришка Распутин начал именно с убийства Михаила.

ГЛАВА 15

Теперь подругам все было более или менее понятно. У Григория имелся очень веский повод, чтобы желать смерти Михаилу. И Федор, заточенный своим братом в тюрьму, тоже не напрасно волновался за свою жизнь и судьбу своих детей. История знает немало примеров, когда рвущиеся к власти и богатству дети умерщвляли и своих родителей, и братьев, и многих прочих родственников, которые стояли у них на пути к власти и богатству.

— Но в данном случае Федор и Михаил имели какую-то страховку. Вот бы нам до нее добраться первыми.

Лисица покачал головой:

— Не стоит даже и пытаться. Мы не представляем, где искать эту вещь. И даже если мы ее найдем, где гарантия, что мы поймем, как можно ее использовать против Распутина. А вдруг это ключ от банковской ячейки, номера которой мы не знаем? Или что-нибудь в этом духе? Михаил знал, как действовать, достав «вещь» из тайника Далилы. А мы — нет, мы не знаем.

— И времени у нас в обрез, — добавил Эдик. — Леонид Пельцер скончался уже почти месяц назад. Время вступления в права наследства для сына покойного исправно тикает. Не сегодня, так завтра Гришка Распутин предъявит заокеанским адвокатам наследника. Затем Федор вступит в права наследования, а затем... затем быстренько скончается от несчастного случая или скоропостижно постигшей его болезни.

— А Аня и Витя? Дети Федора? Что будет с ними?

— Они... думаю, они просто исчезнут.

Подруги испуганно ахнули.

— Их дядя будет долго, но, увы, безуспешно разыскивать своих племянников. Разумеется, не найдет. И по истечении положенного законом времени объявит племянников без вести пропавшими. И тогда уже, за неимением других близких родственников, состояние Леонида Пельцера перейдет к нему.

Девушки молчали, напуганные такой перспективой чуть ли не до дрожи. После того что им довелось услышать о подвигах Григория Распутина, убийство Федора и его детей было более чем возможным. Эдик кашлянул, выразительно взглянув на Лисицу. Но, видимо, тот сам понял, что слишком уж сгустил краски. Он тут же попытался смягчить ситуацию.

— Впрочем, до того момента, как отец Ани и Вити вступит в права наследования, молодые люди в безопасности, — заявил он с видом одновременно небрежным и лихим. — Федор не пойдет на встречу с адвокатами, не убедившись предварительно в том, что оба его ребенка целы и невредимы.

— И сильно давить на него Григорий поостережется, — обрадованно подхватил Эдик. —

Ведь если у адвокатов господина Пельцера возникнет даже малейшее сомнение в законности происходящего, они могут приостановить дело о наследстве. К примеру, если Федор явится на встречу с адвокатами весь в синяках, то они поневоле озаботятся, все ли с ним в порядке.

Леся немного перевела дыхание.

— Да, я согласна, до встречи с нотариусом Федор доживет.

— И его дети тоже.

— Ну а потом? Что с ними будет потом?

— Потом... Боюсь, что потом обстоятельства могут сложиться скверно. Зная, что за личность этот Гришка Распутин, я бы даже ломаного гроша за жизнь его брата и племянников не дал. Распутин отправлял людей на тот свет за куда меньшие деньги. А тут сотня миллионов долларов! Даже сомневаться нечего, он их убьет!

И взглянув на Эдика, который уже устал подавать приятелю сигналы, чтобы тот притих, Лисица воскликнул:

— Блин, да хватит тебе кашлять! Я и без тебя знаю, что ситуация фиговая. Но что мы можем поделать?

Ответа ни у кого не было. Все подавленно молчали. И в наступившей гнетущей тишине телефонный звонок был подобен спасательному кругу.

— Да! Слушаю! — первой подскочила к телефону Кира. — Да не реви ты! Ничего с твоим Богданом... Ах, вот как?

И прикрыв рукой трубку, Кира произнесла громким шепотом:

— Это Лариса. Богдана похитили!

И пока остальные в страхе переглядывались, она продолжила разговор с приятельницей.

— Уже звонили? И еще будут звонить? Лариска, держись! А что они хотят? Не издеваюсь я. Дом они хотят, да? Ну, не реви ты так. Слушай, а что, если тебе дом застраховать, или уже поздно?

Лисица поспешно отнял у Киры трубку.

— Лариса, ты меня слушаешь? Мы сейчас к тебе приедем. Но до нашего приезда ты к телефону не подходи. Особенно если будут звонить эти гады! Ничего они за полчаса твоему Богдану не сделают! Потом скажешь, что в обмороке валялась. Не каждый день у тебя любимого мужа угрожают убить. Они ведь угрожают?

Судя по громким рыданиям, которые донеслись в ответ из трубки, преступники угрожали.

— Быстрей, быстрей! — поторапливал всех своих друзей Лисица. — Заводите машину, ждите меня на улице. А я сейчас... я мигом!

Сам он умчался наверх. Из его комнаты послышались какие-то звуки, словно Лисица второпях выкидывал из шкафа хранящуюся там электронику. Но вернулся он быстро. Под мышкой он сжимал плоский черный ноутбук.

— Все будет в порядке, — уверенно кивнул он, а Кире приказал: — Гони что есть мочи! О правилах не думай, не до них сейчас!

Кира и сама это понимала. И поэтому выжимала из «гольфика» все, что возможно. И все равно ей казалось, что они едут слишком медленно. Когда они подбегали к коттеджу Ларисы, та уже ждала их на пороге.

— Что вы так долго? Они звонили уже раз пять! Вот, опять звонят!

Лариса кинулась в дом, но Лисица ее остановил.

— Погоди! Еще рано.

Он подсел к трезвонящему телефонному аппарату и, открыв заднюю панель, сунул туда крохотную штучку. Затем откинул крышку ноутбука и на какое-то время затих. На экране прыгали какие-то непонятные черточки, но Лисица явно хорошо понимал, что они значат. Потому что спустя полминуты он кивнул Ларисе:

— Теперь пора!

Лариса схватила трубку.

— Это ты? — раздался какой-то жуткий каркающий голос.

Он был ни мужской, ни женский, вообще непонятно какой. Голос потустороннего существа, демона из ада. Подруги затрепетали. Но Лариса явно уже слышала этот голос, поэтому даже не дрогнула.

— Да! Это я, — произнесла она.

— Где гуляешь?

— Я... я нигде не гуляю. Я дома!

— Трубку чего не берешь? Или муж тебе не дорог?

— Я упала в обморок!

— В обморок будешь падать, когда мужа по частям получишь.

— Простите! — взвыла Лариса. — Не обижайте Богдана! Я все сделаю, как вы скажете!

— Рано, — прошипел ей Лисица. — Потяни еще время. Потребуй, чтобы тебе дали услышать мужа.

Лариса кивнула ему, что все поняла.

— Я освобожу дом, не буду препятствовать его сносу.

— И в суд не пойдешь.

— Мы с мужем откажемся от всех судебных исков.

— Так ты поняла, что со мной шутки плохи?

— Да, мы все поняли. И я тоже поняла. Когда вы вернете мне Богдана?

— Завтра. После сноса дома.

— Завтра? Хорошо, пусть будет завтра. Но у меня есть одно условие!

— Вы с муженьком не в том положении, чтобы торговаться.

— И все же я буду! Я должна прямо сейчас убедиться, что мой муж жив.

— Хочешь его услышать?

— Да! И немедленно!

Голос мерзко захохотал. А потом произнес, обращаясь куда-то в сторону:

— Эй, придурок, подай голос. Ребята, отклейте ему скотч.

Раздался характерный треск, а потом голос Богдана прорвался в эфир:

— Лариса, Ларочка, если меня убьют, ты, главное, девочка, береги себя. Отдай им дом, уступи. Не ради меня, ради себя! Умоляю!

Голос Богдана затих. Лариса была бледна, но не сдавалась.

— Как я могу быть уверена, что это не запись? Хочу задать мужу вопрос.

— Очень уж ты настырная. Могу ведь и иначе с твоим муженьком обойтись. Это сейчас он весь целенький сидит. А завтра можешь его и в недокомплекте получить. Как насчет пары пальцев? Или ухо? Выбирай, отрежем любую часть по твоему выбору, а ты его вопли послушаешь! Так тебя устраивает?

— Нет, — произнесла Лариса дрогнувшим голосом. — Не надо. Я вам и так верю.

— Вот и умничка. Значит, договорились? Завтра часиков в шесть утра уйди из дома от греха подальше. К семи уже все закончится, и ты получишь своего мужика обратно.

На сей раз Лисица поднял большие пальцы, и Лариса с облегчением простилась с похитителем. Как только перестал звучать его мерзкий голос, все вздохнули свободно. Но Лисица не расслаблялся.

— Эдик, я прекрасно их запеленговал. Хитрые у них системы защиты, французские, похоже. Но у нас похитрее будут. Они слишком уверены в собственной безнаказанности, поэтому, я думаю, говорили прямо из дома, где держат пленника. А может быть, и не одного. Если нам повезет, то через пару часов мы возьмем их всех.

После чего мужчины потребовали, чтобы девушки собрались и покинули дом в течение полутора минут. Пока Лариса кидала в сумку те вещи, которые считала наиболее необходимыми, Лисица с Эдиком успели переговорить с целой кучей народу. Половина фраз была кодом, от чего казалась подругам полнейшей бессмыслицей.

Но Лисица с Эдиком выглядели уверенными в том, что все идет как надо. И подруги неожиданно почувствовали успокоение. Их мужчины справятся с любой бедой. И Ларисе надо больше им верить. А она вон совсем распсиховалась.

К чему брать с собой шампунь для жирных волос, если они у нее все равно всю жизнь сухие? И зачем метаться по дому в поисках домашних тапочек, тем более что они все это время были на ней?

Нервы у Киры сдали, и она решительно приказала подруге:

— Лариса, садись в машину и поехали. Тапочки и шампунь сейчас пригодятся твоему Богдану меньше всего. А вот если ты не поторопишься, то смело можешь обмыть его любым шампунем и надеть на него те тапочки, что на тебе. Они ведь у тебя белые? Ничего, что с белочками, на том свете разбираться особо не станут. Сгодятся и такие.

Жестокие слова Киры возымели, по крайней мере, то действие, что Лариса перестала бегать по дому, словно курица без головы, и просто окаменела. Никогда прежде подругам не доводилось видеть женщину, столь похожую на библейский соляной столп.

Совместными усилиями друзья все же вытащили Ларису из дома, усадили в машину и погнали в направлении города. У поста ДПС мужчин уже ждали. Там стояли три больших темных автомобиля с темными стеклами и с номерами, при виде которых все сотрудники поста высыпали на улицу и взяли под козырек.

Лисица с Эдиком пересели в одну из трех машин и помахали подругам на прощание.

— Возвращайтесь теперь в «Чудный уголок». Сидите смирно и ждите нас там. Как только будут новости, вы услышите их первыми.

Но ждать подругам пришлось долго. Нетрудно предположить, что эту ночь все три женщины провели без сна. Лариса стучала зубами так громко, что не помогал ни горячий чай, ни коньяк, ни даже согревающая ванна. Даже засунутая почти в кипяток, Лариса продолжала дрожать.

— Плевать на дом, — шептала она сухими губами. — Плевать на деньги. Заработаю еще, это не страшно. Крыша над головой есть, кто-нибудь из родителей пустит к себе. Потом что-нибудь придумаем. Главное, чтобы Богдан был рядом. Главное, чтобы с ним не случилось ничего плохого. Господи, хоть бы он остался жив! Пожалуйста! Ведь как же мне без него жить потом? Ведь тогда и жить будет не для чего!

Подруги были рады услышать, что в столь экстремальной ситуации Лариса пересмотрела свое отношение к мужу. Прежде она не переставала отыскивать в своем Богдане недостатки. Неряха, носки везде разбрасывает, не говоря уж о прочих предметах одежды. Неумеха, ничего по дому сделать не может, если и берется, то потом после него все равно переделывать приходится. И легкомысленный. Только и знает, что развлекается. Нет бы дома посидеть, книжку умную почитать, с женой о хозяйстве поговорить.

Но теперь все эти мелкие недостатки Богдана волшебным образом исчезли. И Лариса помнила только то, как муж был заботлив в отношении нее, как он был добр и как терпеливо выслушивал многочасовые излияния тещи. Стало ясно, что Богдан принялся делать забор у Ларискиных родителей на даче исключительно ради того, чтобы сделать приятное матери своей любимой жены, ну а через нее и самой Ларисе.

— Я его не ценила. А ведь он и мужик классный, и верный, и когда надо, он всегда появлялся вовремя дома. Ни разу не подвел меня, если у нас гости или мои или его родители. Ни разу мы с ним ни в театр не опоздали, ни на самолет, ни в другое важное место. Ну а в свободный вечер чего бы ему с друзьями и не посидеть?

— Очень рады, что ты наконец осознала, как Богдан тебе дорог. И как мало у него недостатков.

— Дорог, да, — заплакала Лариса. — А вдруг уже поздно? Вдруг он уже мертв?

— Даже не говори таких слов! — испугалась Леся. — Думай о хорошем!

— Да, у дурных новостей длинные ноги. Если бы с Богданом что-то случилось, мы бы уже об этом узнали.

Лариса немного помолчала, а потом переключилась на другую тему:

— Но как они его спасут? Ведь ни Лисица, ни этот Эдик не производят впечатления суперменов.

Подруги немедленно оскорбились за своих мужчин. Может, у Ларисы и горе, может, она и не соображает, что говорит, но все равно она не права!

— Лисица худой, да жилистый.

— А Эдик умный!

И Леся неожиданно почувствовала тревогу. В самом деле, как ее милый толстячок Эдик, такой мягкий, такой кругленький, справится с вооруженными до зубов бандитами, которыми наверняка окружил свое логово мерзкий Распутин? Кира тоже выглядела встревоженной. А что, если Григорий и его люди не захотят сдаться мирно? А что, если завяжется перестрелка? А что, если Лисица схлопочет случайную пулю? Пуля — она ведь дура, не выбирает, в кого попасть.

На этом месте Кира усиленно потрясла головой и повторила уже не для Ларисы, а для себя самой:

— Надо думать о хорошем! Ребята поехали не одни, они поехали в составе сильной команды. Все будет хорошо. Правда на нашей стороне! — А подумав, прибавила: — Да и сила тоже.

Хорошо жить в правовом государстве, где за соблюдением законов следит множество специально обученных людей. И законы эти едины для всех — что для бедных, что для богатых. Хорошо, когда есть к кому прийти за справедливостью и точно знать, что справедливость эта будет восстановлена.

Первая ласточка появилась лишь в семь часов утра, когда все три девушки, измученные бессонной ночью, ненадолго забылись в полудреме.

Леся и Кира в своих креслах, а Лариса на гостевом диване, где сидела, тяжело привалившись головой к подушкам. Фантик и Фатима ни на шаг не отходили от девушек. Но как ни странно, они оба устроились не возле Киры или Леси, кошачья чета забралась на диван и улеглась рядом с Ларисой. Видимо, кошки интуитивно чувствовали, кому из людей в этот момент больше нужно их присутствие рядом.

— Звонят!

— Это они! Я чувствую!

Кире удалось быстрей своих подруг добраться до телефона и схватить трубку.

— Да, да мы дома! — крикнула она, едва услышав голос Лисицы, и тут же возмутилась: — Нет, как ты только можешь спрашивать такие вещи? Конечно, мы вас ждем.

Кира сразу же по бодрому и веселому голосу приятеля и по неумным шуточкам, которые он отпускал, поняла, что все для друзей закончилось хорошо. Но все же решила с самого начала уточнить самое важное:

— Скажи мне, вы все живы? Богдан с вами?

— Все целы и невредимы. Передай Ларисе, что вернем ее супруга без единой новой дырочки.

И Лисица захохотал так громко, что услышали все, кто был в комнате.

— Лариска! — радостно взвизгнула Леся. — Богдан жив!

— А ребята?

— Они все живы! Едут назад, скоро будут здесь!

И девушки засуетились. Негоже встречать своих мужчин, вернувшихся с победой, нечесаными, бледными и за пустым столом.

— Немедленно готовь завтрак. Обязательно что-то согревающее и питательное для желудка.

Леся замахала руками:

— Не учи ученую! Сейчас все будет!

И ведь не обманула. Уже через минуту на плите булькал, растворяясь в кипятке, недавний холодец. Теперь ему предстояло стать хашем, блюдом из жил, хрящей и желудочного рубца. Подавался хаш вместе с кусочками белого хлеба и соусом, состоящим из чеснока, воды и соли. В каждую тарелку хаша следовало добавить хлеб, чесночный соус и есть получившееся месиво большой столовой ложкой.

Хаш пришел на кухню подруг из кавказской кулинарии. Но попробовав это блюдо один раз, они его оценили по достоинству. Немудреная еда, но честное слово, в наши лютые длинные и холодные зимы куда приятней кушать студень, когда он подан вам в горячем виде. И хотя сейчас было лето, но подруги были уверены, хаш отлично пойдет после той нервной встряски, которую они все испытали за минувшие сутки.

К густому мясному бульону Леся нарезала легкие закуски. Огурчики, помидорки, сладкий перец и молодой лук, расположившийся на тарелке длинными зелеными плетями.

— Думаю, что больше ничего не пригодится.

— Как же! А водка?

Водка нашлась и была немедленно облита водой и отправлена в морозилку. Потому что если хаш должен быть горячим, то водка к нему обязательно должна быть ледяной.

К возвращению мужчин все было уже готово. Первым вошел Лисица и тут же втянул ноздрями витающие под потолком ароматы:

— Ох, вкусно пахнет! Что приготовили, девочки? Небось вкусненькое и...

Но Лариса не дала ему договорить. Восторженно крича что-то невразумительное, она повисла на шее мужа, осыпая того поцелуями. Подруги наблюдали за встречей супругов с раскрытыми от изумления ртами. Лариса в общении всегда бывала очень сдержанна, и такое проявление чувств с ее стороны было чем-то новым для подруг.

Они деликатно отвернулись, дав Ларисе отвести душу. При этом каждая исподволь, но очень внимательно ощупывала своего мужчину на предмет возможных повреждений. Однако первый же осмотр позволил девушкам вздохнуть с облегчением. И Эдик, и Лисица были лишь немного бледны. Это были последствия бессонной ночи. Но глаза у них горели победоносным огнем. И грудь у обоих едва не раздувалась от сдерживаемых эмоций.

— Ну, садитесь, садитесь, — быстро захлопотала Леся. — А то все остынет! Небось, проголодались! Кушайте, пока еще горячее. Потом все расскажете.

Ее слова заставили мужчин поторопиться. Проглотив по паре ложек густого дымящегося супа, они подняли головы. Все жаждали отчитаться о своих подвигах. Подругам только и оставалось что сидеть и слушать. А вот если бы девушки показали, что изнывают от нетерпения, заглядывали бы в глаза своим мужчинам или задавали суматошные вопросы, тогда те бы еще поломались.

Но услышав от Леси, что им надо молча есть поставленную еду, а все разговоры будут потом, мужчины немедленно начали говорить. Дух противоречия силен в людях, и тот, кто умеет его заклинать, никогда не бывает в проигрыше.

Подруги убедились в этом на собственном опыте и теперь были очень довольны. Они получили желаемое, на сей раз не затратив ровным счетом никаких усилий.

— Когда мы приехали к особняку, в котором находился запеленгованный нами телефон, некоторая тревога в нас все же присутствовала. А вдруг, поговорив, бандиты снялись и перебрались в другое место?

Но свет в окнах горел, значит, в доме кто-то находился. Уже одно это ободряло. Долго тянуть ребята не стали, начали штурм. Прорваться на охраняемую территорию загородного особняка удалось сразу же и без каких-либо потерь. Охрана не ожидала открытого нападения. Деморализованные наглостью нападающих, охранники сначала не смогли дать серьезного отпора. Этим и воспользовались люди из команды Лисицы.

— В общем, наши ребята начали зачистку территории, а мы с Эдиком и еще парой человек рванули осматривать цокольный этаж и все нижние помещения. Надо было поспешить, чтобы не позволить Распутину замести следы и перепрятать пленников.

По информации, которую раздобыл Лисица, они знали, Распутин любит творить свои злодеяния в укрытых от посторонних глаз убежищах. Желательно где-то под землей. Можно в пещере или заброшенном бункере. А идеально — в собственном подвале, так сказать, чтобы ходить было недалеко.

— Это излюбленная Гришкина привычка, которой он никогда не изменяет. Во всех домах, где он когда-либо жил, всегда имелся хорошо оборудованный пыточный подвал, он же — место казни неугодных Распутину людей.

Спасатели опасались, что могут уже не застать Богдана живым, но им повезло. Распутин был наверху, когда начался штурм. Он просто не успел ни сам спуститься вниз, ни отдать приказа об умерщвлении пленников. Таким образом, уже через десять минут после начала штурма Богдан присоединился к своим спасителям.

— Но дальше ситуация начала меняться для нас в худшую сторону. Мы оказались запертыми в том самом подвале, где нашли Богдана.

Однако к этому времени пришедшие в себя от неожиданности охранники мобилизовали свои силы и решили дать отпор чужакам, вторгшимся на их территорию.

— Как оказалось, в доме было полно оружия. Нам повезло, что охранники не решались без приказа хозяина пустить в ход взрывчатку. Но пулеметными очередями они там все стены изрешетили.

Сам Распутин к этому времени был уже в руках команды спасателей, но тянул время, отказываясь признавать свое поражение и надеясь, что бойцы смогут прорваться к нему на выручку. И это вполне могло случиться, потому что охрана у Распутина была серьезная. И их первоначальное замешательство скоро уступило место яростной атаке.

— Они рассчитали так: если их босс в наших руках, надо захватить кого-то из нас, чтобы начать переговоры. Мы с ребятами в подвале были отрезаны от основных сил. И разумеется, на нас они и нацелились в первую очередь.

Против укрывшихся в подвале людей началась форменная война.

— Они палили по двери так, что она была вся во вмятинах. Еще чуть-чуть — и дверь бы поддалась. У бойцов просто не хватило времени.

К счастью, Распутин, которому к этому времени было уже популярно разъяснено, как крупно он вляпался, внял голосу разума и приказал своим людям прекратить сопротивление. Он не захотел усугублять и без того незавидное положение еще и вооруженным сопротивлением представителям власти.

— Григорий задержан? Он находится под стражей?

— А вы как думали! Захват и незаконное удержание заложников — это вам не шуточки. Не говоря уж о том, что сам Григорий давно находится в розыске. И с ним мечтают пообщаться очень многие следователи.

— Значит, Распутин обезврежен? Он признался в убийстве своего брата — Михаила?

— Вот тут должен вас разочаровать. Распутин начисто отрицает свою причастность, — покачал головой Лисица. — И знаете... мне кажется, что он говорит искренне.

Но подруг его слова не убедили.

— Распутин врет!

— Выкручивается!

— Знает, что прямых улик против него нету, вот и не колется!

Лисица вновь покачал головой.

— Не уверен. Насколько я изучил психологический портрет этого преступника, он обожает похвалиться своими злодеяниями. Особенно если ему за это ничего не грозит.

— Как это «не грозит»? Тут ведь речь об убийстве!

— Если бы Распутин даже и рассказал нам о том, как планировал убийство Михаила, как искал исполнителя, а потом расплачивался с ним, то его показания все равно нельзя было бы предъявить в суд.

— Почему?

— Мы находились не в кабинете следователя, Распутин был не на допросе. Это была всего лишь приватная беседа двух людей.

— Можно было бы сделать запись его признания.

— И даже сделай мы запись, ее все равно ни один суд не принял бы в качестве полноценного доказательства.

— Прежде, оказавшись в аналогичной ситуации, Распутин любил загнуть пальцы, обрисовав себя с самой худшей стороны. А в этот раз и сам казался удивленным известием о гибели Михаила.

Но подруги отмахнулись:

— Ваш Распутин — гениальный актер.

Был еще один человек, судьба которого волновала подруг куда больше, чем все остальное.

— А Федор? Что с ним? Вы его нашли?

— Да. К сожалению...

— Он умер?

— Нет, нет, не бойтесь. Федор жив, но когда мы его нашли, он находился под действием каких-то сильнодействующих психотропных препаратов. И до сих пор под ним находится. Видимо, не доверяя своему брату, Распутин принялся заранее готовить того к встрече с адвокатами господина Пельцера. Неделя-другая такой подготовки, и Федор выполнил бы любой приказ своего брата. Его здоровью был бы нанесен серьезный вред. Человек, которого обработали данными препаратами, надолго перестает воспринимать этот мир адекватно.

— Но он поправится?

— Будем надеяться, что терапия была начата Григорием сравнительно недавно. Во всяком случае, сейчас Федор находится в больнице, врачи делают все возможное, чтобы вернуть ему память и рассудок.

— Это так серьезно?

— Я видел людей, которых с помощью этого препарата превратили практически в покорных рабов, не имеющих ни собственного мнения, ни желаний.

Подруги переглянулись. Им обеим одновременно пришел в голову один и тот же вопрос. И Кира выпалила:

— Но как Распутин не побоялся сделать из брата зомби? Ведь адвокаты могли заподозрить неладное.

— После применения этих психотропных препаратов человек внешне выглядит совершенно нормально. Однако при этом он становится послушной куклой в руках кукловода. Федор подписал бы все документы, никто бы и не заподозрил, что он неадекватен. И даже после вступления в права наследства Федор мог некоторое время пожить. Год-два, сколько позволило бы ему здоровье. Он по-прежнему выполнял бы все приказания своего брата, был бы тому даже полезен. Но длительный прием этих препаратов рано или поздно обязательно прикончил бы Федора.

— А дети Федора? Что с ними?

— Пока трудно сказать.

— Какие-то юноша и девушка тоже находились со мной в подвале, — подал голос Богдан. — Возможно, это они и были. Точней сказать не берусь, оба были то ли без сознания, то ли их тоже обкололи какой-то дрянью.

Лариса ни на секунду не отпускала руки своего мужа. И даже когда за столом ему требовались обе руки, Лариса не хотела отпускать Богдана. Она словно опасалась, что если не будет его крепко держать, то он может просто исчезнуть. Глаза ее ярко сверкали. И подруги могли бы сказать, что никогда еще не видели Ларису такой красивой и счастливой.

Обычно резкие черты ее лица теперь смягчила идущая откуда-то изнутри нежность. Девушка словно вся светилась теплым радостным светом, не в силах оторвать глаз от своего Богдана, пока тот говорил:

— Федора они держали отдельно. А вот ребята находились в одном подвале со мной. И я слышал, как люди Распутина обсуждали между собой, как поступят с трупами, когда придет время. А в том, что оно придет довольно скоро, никто из бандитов даже не сомневался.

Вот как обращался с племянниками их любящий дядюшка! Да, Федор недаром беспокоился за жизнь своих детей. Как оказалось, он не только не преувеличивал опасность, исходящую от Григория, но даже не до конца оценивал всего ее масштаба.

ГЛАВА 16

Как и предсказывал Лисица, Федор пришел в себя не скоро. Он очнулся и смог говорить лишь на третьи сутки. Его дети — Аня и Виктор — очнулись раньше. И к тому времени, когда их отец смог воспринимать окружающих более или менее разумно, дети уже дежурили возле его кровати. Так что первое лицо, которое увидел Федор, очнувшись, было бледное личико дочки Ани.

— Доченька! — расчувствовался Федор. — Господи, ты жива?

— Я жива, папочка!

— Как я рад!

И заключив дочь в объятия, он на всякий случай уточнил:

— А может, мы просто оба с тобой уже умерли? Это в самом деле ты или мне чудится?

— Это я, папа. И я жива.

— А Витя? Он где?

— И Витя тоже здесь. С ним тоже все в порядке.

— Детки! — заплакал Федор. — Как я виноват перед вами! Если бы вы только знали, как я виноват!

— Ну что ты, папа! Разве ты мог представить, что дядя совсем свихнется от жадности и таких дров наломает?

— Я должен был предвидеть! Должен был предугадать! Особенно когда Григорий повадился ко мне ходить в последнее время. Я ведь не общался с ним со смерти мамы и многие годы имел о нем лишь смутные слухи. И вот года два — два с половиной назад он вдруг появился. И не просто так, а с деловым предложением.

Григорий не скрывал, что его интерес к брату носит деловой характер.

— У тебя не мозги, а золото, — прямо заявил он Федору. — Ты математик от Бога, а получаешь в своем исследовательском центре жалкие копейки. Хочешь наконец зарабатывать приличные деньги?

— Мне и так хорошо.

— Ну, тебе — возможно. Ты у нас почти монах. А как твоим детям? Неужели их тоже все устраивает?

Услышав это, Федор притих. Действительно, Аня с Витей до сих пор жили со своим отцом. Когда дети были маленькие, все втроем они отлично помещались в двух комнатах. Но потом дети выросли, у них появились друзья, и в маленькой двушке стало тесновато.

— Купишь своим детям отдельную квартиру, — соблазнял Григорий брата, — да и себе на старость чего-нибудь подкопишь. И главное, тебе самому не придется делать ничего нового. Сиди себе за компьютером, анализируй рынок ценных бумаг. И только пару раз в день, когда тебе будут звонить мои люди, говори им, какие бумаги на бирже покупать, а какие, наоборот, сбрасывать.

Предложение было соблазнительным, и Федор задумался. В принципе, он даже может не оставлять свою основную работу. Григорий не требует от него ничего невозможного.

— Ну как? Согласен? Если да, то все остальное — это уже детали.

И Федор принял предложение брата. И какое-то время полагал, что здорово выиграл. Григорий платил ему хорошие деньги. И впервые в жизни Федор начал чувствовать себя полноценным человеком, добытчиком и замечательным отцом.

Правда, червячок сомнения все равно продолжал точить его душу. И Михаилу он о своих восстановившихся отношениях с Гришкой не говорил. Заранее знал, что тот его поступок не одобрит. Михаил считал Григория воплощенным злом. И даже как-то предупредил брата, что у него в тайнике есть надежное средство, способное в один миг утихомирить братца.

— А моя вина, дети, перед вами в том, что я все время думал о Грише, как о том маленьком хулигане, который рос вместе со мной и Мишей. Я как-то не учел, что Гришка за эти годы здорово вырос, возмужал и заматерел. Он стал способен уже не на маленькую подлость, а на очень большое и серьезное зло. Я... Один я во всем виноват!

— Папа, ты ни в чем не виноват! Ты много раз говорил нам, какой нехороший человек наш дядя Гриша. Предостерегал от близкого общения с ним. А мы тебя не слушали. Сами к нему в машину сели. Прямо как маленькие!

Григорий похитил своих племянников и брата с небольшим промежутком. Однако сам в этом преступлении каяться не желал.

— Брат и племянники были у меня в гостях. Разве я не имею права пригласить к себе своих родственников?

Тот факт, что племянники были найдены одурманенными и избитыми в темнице, а Федор кое-как пришел в себя лишь на третьи сутки, по-видимому, его ничуть не смущало. Он продолжал твердить свое:

— Брата и племянников дико обожаю. Всегда мечтал, чтобы мы все жили одной дружной семьей.

— А как вы объясните, что ваши племянники находились под действием сильного снотворного и фактически были лишены свободы перемещения, сидели в комнате с решетками?

— Ребята сами захотели попробовать экстремальное развлечение. Посидеть в комнате, где решетки на окнах. А чтобы им было не так страшно, приняли успокаивающего. Немножко не рассчитали дозу, вот и все. Глупость, конечно. Но никто ведь не пострадал?

— А ваш брат?

— Понятия не имею, кто стрелял в Мишу!

— Допустим. Сейчас разговор о другом вашем брате, о Федоре.

— А с ним что не в порядке?

— Не догадываетесь?

— Даже не понимаю, о чем речь идет.

Григорий открыто издевался над следователем. Он полагал, что его деньги способны откупить его от любых грехов.

— Ваш брат, когда мы его нашли, находился под действием сильных психотропных препаратов. Через пару недель он стал бы вашей послушной марионеткой. Выглядя нормальным, он выполнял бы ваши приказы.

— Федор взрослый человек, я не отвечаю за то, чем и у кого он лечится. Если какой-то врач прописал ему эти таблетки, я-то тут при чем?

— Но это вы давали ему лекарство!

— Федор почувствовал себя плохо. Я вызвал ему врача. А как бы вы поступили на моем месте? У вас в гостях находится ваш любимый брат, ему нездоровится, что бы вы сделали? Предоставили ему спокойно загибаться от боли или вызвали бы к нему врача? Сам я не медик, понятия не имею, что за лекарство брату прописал доктор. Фамилия врача? Извините, не спросил.

У Григория на все обвинения находился какой-то ответ. Чувствовал он себя совершенно вольготно. Отвечал на вопросы следователя только после длительной консультации со своими адвокатами, которых у Григория оказалось целых четыре штуки. И хотя дело давно было взято у Смелого и отдано более старым и опытным следователям, но и те не скрывали своего опасения, что Григорию и на сей раз удастся уйти от ответственности.

— У этого гада нашлись знакомства на высоком уровне. На нас сильно давят. Если мы не предоставим каких-то вполне конкретных доказательств его вины, Григория придется отпустить. О том, чтобы и дальше держать его под стражей, и речи не идет. Мерой пресечения в данном конкретном случае может быть лишь подписка о невыезде или домашний арест.

Но всем было ясно, что стоит Григорию выйти из СИЗО, как он тут же исчезнет.

— Неужели вам не удалось найти против него никаких улик?

— Наркотиков и незарегистрированного оружия у него в доме обнаружено не было. Все его охранники имеют лицензию, в том числе и на ношение оружия.

— А экономические преступления, за которые Григорий разыскивался уже много лет подряд?

— Он признал наши претензии и согласился выплатить штраф. Его доверенные лица уже перевели нужную сумму в казну.

Значит, тут Григория уже не взять за жабры. Его уличили в одной махинации, взяли с него штраф, а про десять других либо забыли, либо еще попросту до них не докопались.

— Но его брат и племянники?

— Они находились в гостях.

— Но они сами утверждают обратное.

— Их слова против его слов. Нет, тут не придерешься.

— Но ведь этот человек преступник! Он похитил своего брата, намереваясь заграбастать его состояние. Он шантажировал его, угрожая расправой над племянниками. Да что там говорить, он приказал убить Михаила!

— А вот это и вовсе недоказуемо. Пока мы не установим личность киллера или не схватим его самого, о дальнейшем задержании Григория не может быть и речи.

— А если киллер его не выдаст? Если возьмет все на себя?

— Тогда к Григорию и вовсе не возникнет никаких претензий!

— Неужели на этого бандита никогда не найдется управы?!

И все же подруги считали, что кое-какой метод воздействия на Григория имеется. И ключ был у них в руках. Как только им позволили, подруги прихватили с собой Ларису и вместе с ней отправились в больницу к Федору. Богдан тоже был с ними. Он мечтал взглянуть на человека, по вине которого чуть было не расстался с женой.

Всю дорогу до больницы Богдан жаловался Кире с Лесей на свою горькую жизнь:

— Знали бы вы, какая Лариска строгая. Туда не сядь, сюда не ляг, тут не стой. Постоянно меня пилила, указывала мне на мои недостатки. По сто раз на дню! Нервы у меня от такой супружеской жизни были на пределе. Лариса мне всю плешь проела своими замечаниями. Потом эта история с домом. Мне и так было нелегко, а уж когда я узнал, что родная жена настолько мне не доверяет, что обращается за помощью к кому угодно, но только не ко мне — своему мужу, мне стало и вовсе фигово.

Лариса молчала, лишь виновато поглядывая на Богдана.

— Но теперь же я изменилась! — наконец не выдержала она. — Да и ты тоже многое понял.

— Да, — серьезно кивнул Богдан. — Понял. Понял, что если уж женился, то надо тянуть лямку до конца. Порхать по сторонам, как порхал я прежде, будучи вольным мотыльком, не получится.

— Почему же? — удивились подруги. — Порхайте вместе.

— А это идея! Как ты, Ларис? Будешь порхать со мной вместе?

— С тобой, мой любимый, что угодно и где угодно. И вообще, делай что хочешь. Я тебе и словечка поперек не скажу.

Лариса, вновь обретя мужа, готова была пообещать ему все, что угодно. А улучив минутку, шепнула подругам:

— Если бы вы только знали, как я раскаиваюсь в своем поведении! Надо было с самого начала все рассказать Богдану без утайки! И почему я была такой дурой? Он же никогда меня в серьезных вопросах не подводил. Да, в мелочах он неряха и распустеха, но когда дело доходит до серьезных проблем, он всегда рядом и ни разу не спрыгивал с тонущей лодки.

— Хорошо, что хоть теперь ты это поняла, — рассеянно откликнулась Кира.

Сыщицы были рады, что брак Ларисы и Богдана выдержал очередное житейское испытание и не только не распался, а, напротив, прочно скрепился. Но сами сыщицы не чувствовали себя удовлетворенными. Им-то нужно было еще выполнить задание, за которое они взялись, отстоять дом Ларисы и Богдана. А для этого было нужно засадить преступника Гришку Распутина за решетку. Ну а для этого, в свою очередь, надо было найти убийцу Михаила. И не просто найти, но еще и вынудить говорить правду.

Все было связано одно с другим. А где искать самое главное звено — киллера, отправившего на тот свет Михаила, подруги пока что не подозревали. Они лишь надеялись, что Федор, написавший и отдавший Ларисе шифрованную записку с упоминанием тайника Далилы, сможет объяснить им смысл своего послания.

Федор встретил их приветливо. Особенно горячо благодарил он за помощь Ларису, которая сначала смотрела на него с ужасом. За те дни, что Федора обрабатывали психотропными средствами, он сильно спал с лица. В глазах поселилось какое-то тревожное и болезненное выражение. И Лариса никак не могла поверить, что худой, дрожащий и бледный мужчина, которого она видела в больничной пижаме, тот самый импозантный пленник из подвала.

— Я должен вас поблагодарить!

— За что же?

— Вы не только передали записку, вы еще и добились, чтобы спасли и меня, и моих детей! Без вас мы бы все трое погибли! В злом умысле моего брата нету сомнений.

— Не благодарите меня, — краснела в ответ Лариса. — Благодарите вот их.

И она кивала в сторону подруг. Не вполне отошедший еще от действия вколотого в него лекарства или уже находясь под действием других препаратов, призванных компенсировать действие первого, Федор кинулся благодарить и подруг. Обнимал и целовал их так долго и страстно, что те почувствовали неловкость, и даже Богдан крякнул.

Лишь после этого Федор опомнился:

— Вы же не просто так заглянули ко мне? Наверное, хотели у меня о чем-то спросить? Мое предполагаемое наследство? Сразу скажу, что по выходе из больницы я планирую от него отказаться. Слишком много бед эти деньги принесли мне и моим детям еще до того, как мы ими овладели.

— Об этом вы сможете подумать и потом, — отмахнулась Лариса. — Сейчас более важна ваша записка с шифром! О чем она?

Федор пожал плечами:

— Это был призыв о помощи к моему брату.

— Мы поняли. Но что именно за вещь должен был достать из тайника Михаил?

— Знаю я немного. Но что знаю, все расскажу.

— Мы вас слушаем.

Федор поудобнее устроился на подушках и заговорил:

— Однажды мой брат Михаил позвал меня к себе в гости. Это было еще до того, как Гришка предложил мне работать на него. И наверное, если бы тот разговор с Михаилом не состоялся, я бы и не принял предложения Григория.

Позвонив брату, Михаил обмолвился, чтобы Федор приходил один, без своих детей.

— Разговор предстоит нам с тобой серьезный. Думаю, будет лучше, если ребята ничего не узнают.

Одинокий Михаил, который никогда не имел детей, судил со своей колокольни. А вот Федор был неприятно удивлен.

— Дети уже взрослые, почему ты не хочешь поговорить и с ними тоже, если вопрос столь серьезен?

Но Михаил стоял на своем:

— Это касается тебя, меня и... и Григория. Больше никого. Эта тайна родилась вместе с нами, с нами она должна и умереть.

Федор был неприятно поражен. После нескольких столкновений с Григорием он наконец понял, что из себя представляет его младший брат. И уже почти двадцать лет назад совершенно вычеркнул того из своей жизни. Как сказали бы раньше, вымарал его имя из семейной Библии. И вот сейчас он вновь слышал это имя. И более того, слышал его в угрожающей для него самого и его семьи форме.

— А в чем дело?

— Даже не знаю, что тебе толком и сказать. Поэтому и ребят твоих не позвал. Они ведь знать не знают своего дядюшку Гришу. Не подозревают, какой он великий вредитель. Но мы-то с тобой хорошо помним, на какие пакости способен братец Гриня.

— Помним. Но почему ты заговорил о нем сейчас? Ведь ни ты, ни я с ним не общались уже много лет.

— Верно. Мы о нем забыли. Но я часто думаю, а забыл ли он о нас?

— Что ты хочешь этим сказать?

— Братец звонил мне... Не так давно. И говорил так странно...

Все существо Федора замерло в ожидании дурных новостей. И они не заставили себя ждать:

— Гришка о тебе вопросы задавал.

— Обо мне?

Федор был изумлен. Он знал, как высоко взлетел его брат, и полагал, что интересы Григория ныне касаются исключительно обладателей миллионных состояний. Причем не в рублях, а уже в долларах. Сам Федор работал в научно-исследовательском центре по своей прямой специальности. Деньги он получал совсем небольшие. И заинтересовать корыстного Григория никак не мог. И вдруг такая информация.

— С чего это он мной интересуется?

— Не знаю. Говорил что-то о совместном проекте. Что-то ему там надо просчитать. Прямо ничего не сказал, но ты ведь его знаешь, он ни за что не расколется.

И неожиданно Михаил посоветовал своему брату:

— Держись от него подальше. А если уж не получится, то обращайся ко мне. У меня есть средство, чтобы вразумить нашего с тобой братца.

Вначале Федор вознамерился последовать совету своего брата. Но затем любопытство превозмогло. И когда ему позвонил Григорий, то Федор не пресек разговор в самом начале. Он решил выслушать, что же понадобилось миллионеру Гришке от него — бедного Феди.

Григорий казался искренним в своих братских чувствах:

— Федька, друган! Брат! Сто лет, сто зим! Сколько же мы с тобой не виделись?

— Долго, — промямлил Федор.

И так как молчать было бы невежливо, он произнес плачевную для своего будущего фразу:

— А ты как?

Григорий откликнулся с жаром:

— О, прекрасно! И кстати говоря, у меня есть для тебя великолепное предложение. Одни мои знакомые недавно начали играть на бирже. Им нужен человек, способный просчитать все перспективы рыночной экономики.

Федор пытался отнекиваться:

— Гриша, ведь я — математик. Экономика — это не совсем моя отрасль.

— Чего ты отнекиваешься? В убытке точно не останешься. Экономика — это та же математика. Только ты должен учитывать биржевые всплески и падения. А это я тебе быстро объясню.

И действительно, очень скоро в жизни Федора наступили волшебные перемены. Как уже говорилось, он стал зарабатывать не просто много, а очень много. По его собственным бюджетным меркам, эти нынешние доходы были целым состоянием. Он сумел купить машину, а своим детям отдельную квартиру. Аня с Витей давно говорили о том, что в двушке им всем тесно. Да и сам Федор прекрасно понимал, что Ане в ее крохотной отдельной спаленке и им с Виктором в одной комнате, которая служила не только спальней, но еще и гостевой, и столовой, потому что втроем на шестиметровой кухне было просто не повернуться, давно стало невозможно жить.

Так что покупка отдельной большой квартиры для детей стала для Федора знаменательным событием. Теперь он был не просто отец, а отец с большой буквы. Отец, способный позаботиться о собственных детях, обеспечить их жильем и всем необходимым. Это были совершенно новые для Федора ощущения, и он отдался им с головой.

Но очень скоро реальность вступила в свои права. И первый звоночек раздался от самого Григория.

— Слышь, братик, я вернулся, — каким-то гнусавым голосом произнес он. — Где был? В Штаты летал. Не хочешь со мной увидеться?

Федор не очень этого хотел. Он общих знакомых, с которыми его познакомил брат, Федор знал, что у Григория неприятности. Он был вынужден покинуть пределы Российской Федерации, сменить гражданство.

И к тому же Федор еще сызмальства запомнил: если у Гришки делается такой противно гнусавый голос, значит, он задумывает какую-то пакость. Воспоминания детства непрошеными гостями полезли в голову к Федору. И почему-то перепугавшись на ровном месте, он помчался за советом к Михаилу. Федор надеялся, что старший брат его обнадежит, уверит, что все в полном порядке, волноваться не из-за чего.

Но Михаил отнесся к случившемуся еще серьезнее, чем сам Федор. Он кивнул и сказал брату:

— Если Гришка совсем зарвется, дай мне знать. Я обязательно тебе помогу. У меня есть на него компромат. Не хотел прежде пускать его в ход. Но если доведется взвешивать на весах, твоя жизнь или Гришкина, не колеблясь, выберу твою.

Федор пытался узнать, что за компромат имеется у Михаила на их общего брата, но так и не сумел. Обычно разговорчивый Михаил на сей раз держал язык за зубами.

Он лишь сказал брату:

— Это такая пакость, что тебе заранее и знать не нужно. Узнаешь, будешь плеваться. Руки не захочешь подать Гришке.

Федор пытался настаивать, но не преуспел. Брат лишь сказал, что эту тайну он доверил одной тетушке Далиле. И так как тетушка Далила к этому времени уже давно преставилась, Федор, вместо того чтобы успокоиться, удивился еще больше. Однако, оказавшись в чрезвычайной ситуации, в лапах Григория, он вспомнил слова брата. И при первой же возможности сообщил Михаилу о своем бедственном положении.

Записка была написана шифром, который, как надеялся Федор, никто, кроме самого Миши, не сможет прочитать. Конечно, шифрованную записку мог прочесть еще и Григорий. И даже очень легко! Хотя шифр и был придуман Федором в возрасте десяти лет, но он не делал из него тайны. Ведь шифр использовался всеми тремя братьями для игры в шпионов.

Но и после, даже став взрослыми, братья иной раз применяли этот шифр, чтобы составить письма, не подлежащие прочтению посторонними.

Итак, определенный риск существовал. Но Федор полагал, что Лариса, которая и сама мечтала избавиться от Гришки Распутина, не станет размахивать полученной запиской, подобно стягу. И таким образом тайна будет соблюдена.

Дойдя до этого места, сыщицы остановили рассказчика словами:

— Скажите, Федор, а вот этот шифр, который вы использовали в записке... Кто еще кроме вас и братьев мог знать его?

Ответ ее потряс.

— Никто! — воскликнул Федор, да еще и головой тряхнул для достоверности. — Шифр знали только я и братья. Шифр придумал я сам, когда мы с братьями играли в шпионов-разведчиков.

Разница в возрасте у трех братьев была невелика. И будучи подростками, они могли бы весело играть все вместе. Правда, на деле вместе играли только Миша и Федор. А Григорий либо дулся в углу, либо проводил время за придумыванием очередной пакости. Братья не любили младшего, который был ябедой и пакостником. Но иной раз приходилось брать в игру и его тоже.

— Значит, Григорий мог знать этот шифр?

— Да. Конечно. И прочитать тоже мог.

И повернувшись к Ларисе, Федор спросил:

— Я хочу уточнить у вас еще раз, кто видел мою записку кроме вас и Михаила?

Лариса кинула взгляд в сторону подруг.

— Они.

— Это было уже после убийства Михаила?

— Да.

— А до того?

— Никто! Я только отдала записку вашему брату, как его почти сразу же и убили! Он стоял с этой проклятой запиской в руках, когда позвонил преступник. Михаил велел мне спрятаться, а сам открыл дверь. Когда я выглянула, ваш брат был уже мертв.

— Хм...

Федор был заметно смущен.

— Тогда я ничего не понимаю, — произнес он. — По вашему рассказу выходит, что Михаил точно понял, о чем я его прошу. Но кому он открыл после этого дверь? Кто в него стрелял?

В ответ на это подруги поделились с Федором своими соображениями о том, что в темнице, где его содержали, могли находиться камеры видеонаблюдения. Тот факт, что он их не заметил, еще ни о чем не говорил.

— Возможно, — согласился с сыщицами бывший пленник. — Тогда это многое объясняет. Григорий отлично владеет шифром. Он понял, что написано в записке, и послал к Михаилу убийцу. — И побледнев, Федор схватился за голову: — Выходит, сам того не желая, я стал причиной смерти моего брата!

Насилу подругам удалось уговорить пленника, что его вины тут нету. И они вновь попытались на него надавить:

— А все-таки... что вы написали в записке? Что именно Михаил должен был извлечь из тайника?

— К сожалению, я имею об этом весьма расплывчатое представление. Поделившись со мной своей тайной, Михаил не открыл мне ее до конца.

— Почему?

— Сказал, что в тайнике скрыта Гришкина погибель. И если я узнаю правду, то окончательно разочаруюсь в Григории.

— Но хотя бы где этот тайник, он вам сказал?

— У Далилы. Наша общая тетушка очень любила потайные уголки. В каждом доме, где она жила, у нее был обустроен тайничок.

— Но где именно держал ваш брат компромат на Григория? В комнате в доме отца Далилы или в квартире, где она жила с мужем?

— Нет, не там и не там.

— А где же тогда?

— Никогда не догадаетесь, где Миша решил устроить тайник.

И бледный после всего пережитого, Федор все же нашел в себе силы, чтобы улыбнуться.

— На кладбище. Он отнес эту вещь на кладбище.

— На могилу тетушки Далилы?

— Именно туда.

— Мы должны немедленно ехать! — вскочила на ноги Леся.

— Я с вами!

Федор попытался встать, но зашатался и вновь упал на кровать.

— Нет, не могу. Придется вам действовать одним. Но пообещайте мне, что бы ни было там в тайнике, вы не станете это уничтожать.

— Без вашего ведома? Никогда в жизни.

— И что бы вы ни обнаружили в тайнике, вы первому покажете эту вещь мне?

— Вы больше всех пострадали и еще можете пострадать от действий Григория. Конечно, мы передадим эту вещь вам. А вы передадите ее следствию.

— Нельзя, чтобы она попала в руки Григория.

— Ни в коем случае!

И все же Федор медлил. Он пристально смотрел на подруг. И лишь убедившись в том, что они ему не лгут, что они на его стороне, заговорил:

— Глубоко копать не надо. Брат сказал, что тайник удобен для использования. И что он устроил его по всем правилам. Вырыл в земле ямку, внутрь поставил герметично закрывающуюся коробку, а сверху еще и прикрыл досочкой.

После чего Федор объяснил сыщицам, как найти могилу тетушки Далилы, и вновь откинулся на подушки. Силы его были истощены столь долгим и бурным объяснением. И к тому моменту, когда подруги вышли из палаты, глаза Федора были уже закрыты. Он спал, с трудом поправляясь после своей болезни.

Разыскать могилу тетушки Далилы подругам удалось быстро. Пользуясь указаниями Федора, они оказались возле нее уже через четверть часа после того, как шагнули на территорию кладбища. Тетушка Далила вместе с мужем лежала за аккуратной резной оградкой. На фотографии она была молодой, с мечтательным взглядом. Ее муж был, напротив, запечатлен уже в зрелом возрасте. И казалось, что рядом лежат дочь и отец.

Богдан с Ларисой явились на кладбище вместе с подругами. Теперь они вновь могли передвигаться вместе. До тех пор пока главный виновник их бед — Григорий Распутин был изолирован от общества, им нечего было беспокоиться за свой дом.

— Вряд ли у Эрнста в отсутствие хозяина возникнет инициатива рушить наш дом. Но даже если и возникнет...

Лариса махнула рукой. Она уже смирилась с тем, что дом они потеряли. Теперь супруги волновались лишь о том, как бы не потерять друг друга.

Но уже сегодня во второй половине дня Григорий Селиванов по кличке Распутин вновь мог очутиться на свободе. И как знать, какие действия он предпримет, чтобы отомстить своим врагам? Наверняка снос дома Богдана и Ларисы будет меньшей из всех бед, которые этот человек способен принести миру и людям.

Однако перспектива наказать обидчика не могла не вдохновлять супругов на подвиги. И когда Богдан, вооружившись маленькой садовой лопаткой, которая нашлась у подруг в багажнике, начал осторожно рыхлить землю на могиле тетушки Далилы, глаза его жены яростно сверкали. Она уже предвкушала торжество справедливости.

Но прощупав землю на могиле, Богдан выпрямился и разочарованно произнес:

— Ничего тут нету.

— Как?

Подруги тоже вскочили на ноги:

— Как нету?

— Ты хорошо искал?

Богдан обозлился:

— Попробуйте сами. Я втыкал лопатку по самую рукоятку. Если хотите глубже, надо искать настоящую лопату.

— Нет, Федор сказал, что ящик едва присыпан землей.

— Тогда его тут нету.

Тетушка Далила была похоронена рядом со своим мужем. И взгляды друзей невольно обратились на соседнюю могилку.

Теперь уже Кира взяла из рук Богдана лопатку. Может быть, ей повезет? Эта лопатка была надежной и удобной. Леся обычно брала ее с собой, чтобы в лесу, в поле или на пикнике выкапывать особенно понравившиеся ей экземпляры дикой флоры. Потом Леся устраивала новичков на своем участке и радовалась, когда они начинали цвести.

Но сейчас та же Леся стояла у Киры над душой и ныла:

— Осторожней! Не попорти корни цветов.

Могилы тетушки Далилы и ее мужа были густо усажены маргаритками. Эти неприхотливые цветочки обильно рассеялись не только на могилах, но и вокруг них. Розовенькие и беленькие, они были махровыми и очень красивыми. Благодаря им могилы приобретали, если так можно выразиться, жизнерадостный вид.

Леся действовала очень осторожно, но старательно. И все же в конце концов и она сдалась:

— И тут тоже ничего нету!

— Неужели нас все-таки опередили?

— Нет, не думаю. Если бы преступник тут порылся, вряд ли он стал бы действовать осторожно. Все бы перекопал, испортил цветы, повредил бы их корневую систему. И он бы никогда не посадил цветы назад. Так что мы бы обязательно заметили дыру среди маргариток.

Отложив в сторону лопатку, все четверо присели на скамеечку, стоящую тут же возле могилок. Все молчали. Настроение у всех было подавленное. И почему на кладбищах всегда так уныло? Вроде бы и солнышко светит, тепло, птички поют, а на душе все равно тягостно.

— Интересно, кто ухаживает за могилами? — неожиданно произнесла Леся. — Тут все выглядит очень ухоженным.

— А тебе не все равно?

— Нет, но все-таки... Кто сажал тут цветы? Ну... и вообще?

— Михаил и сажал, — безразлично пожала плечами Лариса. — Получил от тети квартиру в наследство, вот и ухаживал за ее могилкой. В благодарность.

— Нет, — покачала головой Леся. — Михаил мертв, а цветы выглядят прекрасно.

— И что с того?

— Дождя не было уже неделю, а земля у корней цветов влажная. И это при том, что почва тут песчаная. В такой почве вода почти не задерживается. Два дня — и снова сухо!

Кира подняла голову и внимательно посмотрела на подругу:

— Думаешь, кто-то поливал цветы в отсутствие Михаила?

— А иначе как? Цветы должны были давно поникнуть, а они выглядят очень свежими. Сразу ясно, что в поливе они не нуждаются.

Кира вскочила на ноги.

— Надо разыскать сторожа! Он должен знать, кто бывает на этих могилах.

Сторож нашелся. И он тут же признался, что за уход ему заплачено на год вперед. Что деньги ему платит то ли сын, то ли племянник усопших. И что он, сторож, свои деньги отрабатывает честно.

— А как выглядел этот человек?

Сторож довольно толково описал внешность Михаила. Все совпадало. И сыщики вновь набросились на сторожа:

— Скажите, а вы не замечали на этих могилах ничего странного?

— Что именно?

— Вот эти цветы... Кто их посадил?

— Племянник или сын, не знаю. То ли Миша, то ли Паша. Я имен не запоминаю, у меня только на лица память хорошая. А цветы он принес и посадил. Перед этим землю еще рыл. Я мимо проходил, сказал, что под скамейкой цветы сажать нечего. Маргаритки открытое пространство любят, им много света нужно. А под скамейкой тень. Они там расти не станут. И точно. На могилках цветочки прижились, а под скамейкой в тени все захирели и погибли.

Вот оно что! Михаил копал под скамейкой. И пока Лариса с Богданом продолжали расспрашивать старика-сторожа, подруги кинулись обратно к могилам тетушки Далилы и ее мужа. Присев на корточки, они принялись копать землю под скамейкой Тут они не церемонились. Под скамеечкой ничего не росло, кроме чахлой травки. И вскоре лопатка стукнула о какую-то поверхность. Судя по стуку, деревянную.

— Нашли?

Это был голос Богдана. Они с Ларисой уже стояли за спинами подруг.

— Вытаскивайте! — взмолилась Лариса. — Вытаскивайте скорее! Сил больше нету ждать!

Подруги орудовали вдвоем. Леся копала, Кира отгребала землю. Первой в сторону полетела доска, призванная укрыть тайник. И следом за ней вскоре на свет появился прямоугольный ящичек, сделанный из какого-то пластика. Ящик был замотан в стрейч-пленку, чтобы избежать попадания влаги внутрь него.

— Ну что? Что там?

— Подождите секунду. Сейчас.

Наконец последний слой пленки был снят. Подруги открыли крышку и заглянули внутрь. Увиденное их несколько разочаровало. Внутри в еще одном герметично закрытом пакете лежала тоненькая пачка фотографий, катушка проявленной пленки от старых, еще пленочных, фотоаппаратов и простая маленькая флешка.

— Доставай фотки, чего копаешься?

Но Леся не дотронулась до пакетика, пока не протерла руки. И лишь после этого она достала первую фотографию. Она была черно-белой. И судя по обстановке на заднем плане — мебели, ковру на стене и посуде на столе, сделана была лет двадцать, а то и все тридцать — тридцать пять назад. На фотографии были запечатлены двое молодых людей. Один рослый, темноволосый, с неприятным, каким-то хищным выражением лица. И второй — миниатюрный, похожий на девушку юноша с тонкими руками и ногами.

— Мне кажется, этот похож на Распутина, — ткнула пальцем Кира в изображение рослого парня.

Никто не возразил. Все четверо знали преступника в лицо хотя бы по фото и сочли, что Кира права.

— А этот второй... кто он ему?

И уже следующая фотография ответила друзьям на этот вопрос. На второй фотографии молодые люди стояли не просто обнявшись, они целовались, как говорится, взасос — самозабвенно и страстно.

— Ой, — пискнула Леся. — Чего это они?

Но третья фотография повергла в шок уже всех. Четвертая заставила скривиться даже Богдана. А пятую не захотел смотреть никто, до того неприлично выглядело то, чем занимались двое обнаженных мужчин на глазах у третьего, который и запечатлел их сексуальные игрища на пленку.

ГЛАВА 17

Первой, как ни странно, опомнилась Леся.

— Распутин — гей! У него был сексуальный опыт с другими мужчинами.

— Вот чего он боится!

— Вот в чем его тайна!

— Если его деловые компаньоны-мафиози узнают о том, что с ним вытворяет его любовник, репутации Гришки Распутина — конец!

— Ни один серьезный делец за стол переговоров с таким человеком уже не сядет! Бизнесу

Григория, всей его финансовой империи придет хана! И все из-за этих б...х фотографий!

— Леся... не говори таких слов.

— Но это же правда! — возмутилась обычно культурная Леся. — Посмотрите сами! Да любая из этих фотографий способна посеять сомнения в душах партнеров Распутина. А тут еще и пленка имеется! Если напечатать с нее фотографии, поместить ее в газете, выложить их в Интернете, знаете, какой взрыв будет?

— Распутин заявит, что все это лажа чистой воды.

— Да кто же ему поверит? И потом, он мог бы такое заявить при других обстоятельствах! Только тот, у кого будут эти фотографии и, самое главное, эта пленка, всегда выиграет спор. Хоть в официальном суде, хоть на воровской сходке.

Все задумались. Да, фотографии были компрометирующего свойства. Ведь Распутин на фото был отнюдь не мальчиком, а судя по занимаемой им коленопреклоненной позиции — девочкой.

— А вот этого ему уж точно деловые люди не простят. Одно дело — развлечься самому с юным мальчиком. И совсем другое, когда этот мальчик использует самого Распутина в своих целях.

Одна Кира не участвовала в диспуте, она была занята тем, что разглядывала лицо юного любовника.

— Какой миленький, — заметила она. — Мелкие черты лица, худенький, изящный. Рост явно ниже среднего. И при этом какой активный.

— Не понимаю, чем ты восхищаешься?

— Тебе не кажется, что этот мальчик нам уже встречался?

— Впервые вижу эту физиономию. Вот Гришку я сразу узнала, хотя видела его только на фотографии, где ему лет на двадцать больше. А этого заморыша я прежде не видела.

— Но зато его видели другие люди.

— Кто?

— Например, Михаил. И... и его соседи. И еще Ксения — работница кафе, которое напротив дома Михаила. Да еще Марта Гербертовна, хотя нет, она видела его только со спины и сверху. Лица она не видела.

Леся разинула рот:

— Ты думаешь... этот юноша?.. Он и есть убийца Михаила?

Кира молча кивнула.

— Я видела его фоторобот в кабинете Смелого. Этот человек неоднократно приходил к Михаилу в гости. Он даже назывался его другом.

— Но кто он такой? Как его имя? Где его искать?

Кира не знала ответа ни на один из заданных ей вопросов. Может быть, и хорошо, что не знала. Человек, способный хладнокровно всадить пулю между глаз, был не тем товарищем, которого стоило разыскивать в одиночку.

Видя, что подруга молчит, Леся дернула ее за руку:

— Мы обещали, что покажем Федору содержимое тайника.

— Хорошо, — кивнула головой Кира. — Везите эти гадкие фотки к нему в больницу.

— А ты?

— Я поеду к Михаилу домой.

И Кира выбрала себе одну наиболее безобидную фотографию. На ней молодые любовники стояли обнявшись. Но все же, по сравнению с другими, эта фотография была воплощением пуританства и ханжества.

Ксения сегодня снова была на работе. Она обрадовалась при виде Киры, но не преминула ее отругать за отлучку.

— Явилась, наконец, беглянка! Где болталась столько времени? Поработала полдня и свалила! Ох, уволят тебя!

— Я тут по другому вопросу. Помнишь, ты говорила, что мужчина тебе понравился?

— Какой? Мне многие мужчины нравятся.

Удивительно, при таком количестве детей еще и мужчинами она успевает интересоваться? Хотя, может быть, потому и детей у любвеобильной Ксении так много? Одно тянет за собой другое.

— Скажи, а вот этого мужчину ты видела? Только он тут на двадцать лет младше и...

Но Ксения, не дослушав, выхватила у Киры из рук фотографию.

— Ой, хорошенький какой! — воскликнула она умиленно. — Молоденький! Прямо совсем дитятко он тут! Вот бы мне с ним в те годы познакомиться.

— Ксения, не о том речь! Скажи, узнаешь ты этого мужчину или нет?

— Ну, он это. Вроде. Тот, что возле мусорных бачков переодевался. Бабское платье с себя снял, в мужском прикиде остался.

— Вроде или точно он?

— Постарше он теперь стал, но это он, — кивнула Ксения. — А кто это такой рядом с ним? Тоже интересный мужчина, хотя и не в моем вкусе.

Но Кира уже не слушала болтливую работницу. Выхватив у нее из рук драгоценную фотографию, она помчалась к дому Михаила. Если сейчас соседи убитого тоже опознают этого человек то тогда... то он... то она...

Додумать свою мысль до конца Кира не сумела. Мешало отсутствие какого-то крошечного звена. И между тем именно это звено должно было стать связующим между всеми преступлениями, совершенными за время расследования подругами этой истории.

Обойдя соседей, которых смогла застать дома, Кира сделала, по крайней мере, один вывод. Миниатюрный мужчина с фотографии точно бывал у Михаила. Но с какой целью он приходил? Михаил сказал соседям, что это его друг. Возможно, что и Федор сможет вспомнить, кто этот «друг»?

И стоило Кире подумать об этом, как раздался звонок Леси.

— Ты сейчас упадешь! — скороговоркой заговорила подруга. — Если стоишь, то сядь! Серьезно тебе говорю, упадешь.

— Говори уже. Я уже ко всему готова.

— Этот типчик с фотографии...

— Киллер?

— Он не киллер. Он — Петя.

Как будто бы мужчина по имени Петр не может быть киллером! Если один человек с таким именем допущен к ключам от рая, это еще не основание всех носителей этого имени считать святыми.

— А точней его зовут Петр Владимирович Беляков. Он старый приятель Григория. Но так как трое братьев до совершеннолетия жили все вместе, то и приятели у них были все общие. Федор хорошо знает этого Петю. Беляков жил в соседнем подъезде. Он был очень маленького роста, все его принимали за девочку. Ну, и относились к нему соответственно.

Белякова Петра удалось задержать быстро. Он был так уверен в своей безнаказанности и в том, что его никогда не поймают, что даже не счел нужным съехать на съемную квартиру. Жил по тому же адресу, по какому был прописан.

Будучи взятым под стражу, он сперва держался очень самоуверенно.

— Не понимаю, в чем вы меня обвиняете? Меня видели возле дома Михаила? Ерунда. Ваш свидетель обознался.

Но после того как ему показали фотографии, добытые друзьями из тайника на могиле тетушки Далилы, всю его браваду словно ветром сдуло. Беляков ощутимо побледнел, глаза у него забегали. Как ни хорошо владел убийца своими эмоциями, но тут они прорвали его броню.

— Откуда у вас эти фотографии?! Где вы их взяли?

— Где взяли, не ваше дело. Но, как видите, они у нас. Ну что, будем каяться, гражданин Беляков? Не обещаю, что чистосердечное признание облегчит вашу участь, но от позора среди сокамерников вы будете спасены. Вы сохраните свою репутацию, а ведь для вас это важней всего? Подумайте сами, как к вам отнесутся зэки, когда увидят эти фотографии?

— У вас на меня ничего нет! Вы меня на нары не отправите!

— Ошибаетесь. Все соседи покойного неоднократно видели вас в обществе Михаила.

— Мы дружили. Это не преступление.

— Конечно, но вы были у вашего друга в тот вечер, когда его убили.

— Не был!

— Были. Вот только явились вы к нему переодетым в женское платье.

— Это выдумки! Если я изящного телосложения, это не говорит о том, что я трансвестит и ряжусь в бабские тряпки.

— Нет, женская одежда была нужна вам для дела. Вы отправлялись на задание, переодевшись в женщину. Мы ведь вас давно знаем и так же давно ищем, госпожа Киллерша.

Беляков поднял взгляд на следователя. Теперь в нем читалось не только возмущение, но и интерес. И следователь продолжил:

— Вы орудуете в нашем городе и на всем северо-западе уже не первый год. Снимаю шляпу перед вашей выдумкой и находчивостью. Уже сейчас могу утверждать, что вы войдете в анналы криминальной истории нашего города. Мы вами давно занимаемся. Так что я могу примерно описать технику вашей работы. Вы приходите к своей жертве под видом женщины, выполняете заказ, а затем скидываете с себя женские тряпки и уходите уже мужчиной. Список ваших преступлений переваливает за сотни жертв. Так же вы работали и в тот вечер, когда вы застрелили Михаила.

— Я его не убивал!

— У нас есть свидетель, который видел, как вы сняли с себя приметное пестрое женское платье, кинули его в мусорный бак и остались в коротких мужских брюках и футболке.

— Это недоказуемо. У вас есть оружие с моими отпечатками? Женская одежда?

— Вы ведь знали, в какое время заберут мусор? Следили? Поздравляю, вы угадали с точностью до нескольких минут. Почти сразу же после вашего ухода мусоровоз отвез все улики на свалку. А вы остались в своем мужском обличье. Только что возле баков была разряженная фифочка, а через минуту на улицу выходит уже симпатичный мужчина. Это видели, этому есть свидетели.

— Может быть, у вас есть свидетель и того, как я всадил пулю в лоб своего друга? — насмешливо поинтересовался Беляков.

Но Смелый в ответ лишь снисходительно улыбнулся. А потом совершенно спокойно ответил:

— Нет, такого свидетеля у нас нет. Но во-первых, откуда вы знали, куда именно угодила пуля? И вообще, с чего вы взяли, что Михаил был застрелен?

— Я просто подумал... — забормотал Беляков. — Я подумал... предположил...

— А во-вторых, — перебил его следователь, — я, конечно, за недоказанностью вашей вины могу вас и отпустить, вот только эти фотографии... С ними как быть?

Следователь наблюдал за Беляковым, словно кот за мышью.

— Как же нам с ними поступить?

— Да, как вы намерены поступить с этими фотографиями? — с деланой небрежностью поинтересовался Беляков. — Не знаю, откуда они у вас взялись, но уверяю, это была лишь дружеская шалость. Озорство. Вы мне их отдадите?

— Я поступлю лучше.

— Это как?

— Я покажу их вашему другу. Да, да, тому самому Григорию Селиванову. Он сейчас тоже находится у нас. И вряд ли он захочет, чтобы эти фотографии увидели свет. Сознаете, как много ваш друг может нам рассказать в этом случае?

— Вы этого не сделаете!

— Сделаю. И догадываетесь, каков будет ответный ход Григория? Он потопит всех, о ком мы его спросим, лишь бы самому остаться сухим. Он сдаст вас с потрохами, поверьте!

— Гришка — грязная крыса, — облизав свои тонкие губы, произнес Беляков. — Что правда, то правда. Знаете, как он первый раз заставил меня пойти на дело, переодевшись барышней?

— Как?

— Это Гришка сделал эти фотографии. Уговорил меня позировать одному мужику, любителю мальчиков. Я согласился, потому что думал, что мужик фотографии оставит у себя. А потом узнал, что они есть и у Гришки. А Гришка пообещал, что свое лицо на фотках замажет, а то, что останется, покажет ребятам во дворе и моему отцу. То есть все будут знать, кто я такой есть на самом деле. Но сам Гришка планировал остаться безнаказанным. Его бы мой батя полюбому не тронул.

— Ваш отец был против геев?

— Он бы не пережил, узнай обо мне правду. И скажу вам больше, он бы не допустил, чтобы это пережил я. Он бы просто меня убил!

— И чтобы не погибнуть самому, вы принялись устранять других людей? Кто вам находил клиентов? Григорий?

Но Беляков не сразу ответил. Он о чем-то размышлял, прикидывал и подсчитывал. Он уже пришел в себя, осознал степень катастрофы и теперь, как опытный игрок, просчитывал все ходы наперед. Вел учет фигурам, которыми можно пожертвовать, чтобы спасти самую главную фигуру — самого себя!

— Что вы хотите от меня? — наконец спросил он.

И следователь, который тоже понимал, что всех своих прегрешений Беляков никогда не выдаст, быстро произнес:

— Дайте показания против Григория.

— Это означает, что я дам показания и против себя самого.

— Вам решать. Но эти фотографии...

И следователь побарабанил пальцами по стопке фотографий. Он знал, что у него сильная позиция. А вот Белякову надо подумать о том, чтобы при отступлении не потерять головы. Если эти фотографии увидит криминальный мир, в котором вращался Беляков, то обратного пути для киллера уже не будет. Беляков уже понял, что загнан в угол. Эти фотографии совершенно его подкосили. И почти жалобно он спросил:

— Если я дам показания против Григория, какие у меня гарантии, что вы не опубликуете эти фотки?

— Никаких, кроме моего честного слова.

Беляков снова покусал губы. А потом сдался:

— Ваша взяла, гражданин начальник. Спрашивайте!

Следователь с трудом удержал внутри себя рвущееся наружу ликование. Теперь он знал, что Беляков у него в руках. И начал задавать вопросы, не торопясь, рассудительно взвешивая каждое слово.

— Задания на устранения неугодных вам давал Григорий Селиванов по кличке Распутин?

— Сначала он, а потом и другие люди начали ко мне обращаться. Работал я всегда аккуратно, поэтому ко мне многие приходили. Имен своих клиентов не назову, даже и не просите. Но Селиванов был моим самым лучшим и старым клиентом.

— От него вам и поступил заказ на Михаила?

— Да. Гришка сказал, что Мишка будет мешать ему в одном важном деле. Что он тоже наследник и может претендовать на половину всего состояния. А делиться с кем-то Гришка не любит.

— Чей наследник?

— Кого-то из своих братьев, я думаю. Другой родней Гришка не обзавелся. Хоть и собой хорош, а бабы его только ради денег терпят. Гришка это понимает, поэтому ни с одной и не связался всерьез.

— Но как вы решились убить Михаила? Он ведь был вашим приятелем.

— Да, я знал его с детства. Мы дружили.

— Видите, даже другом. И как же получилось, что вы его убили?

— Да все из-за них! — с досадой воскликнул Беляков, ткнув тонким пальцем в сторону фотографий. — Из-за них проклятых. Они всему виной! Всю жизнь мне изуродовали, всю жизнь я жил в страхе, что когда-нибудь правда выплывет наружу! Я не верил, что Гришка сможет использовать эти фотки против меня в серьезной игре. Все-таки для больших людей одной скабрезной фотки недостаточно. Нужна еще и пленка, чтобы замарать мою репутацию. Но пленку Гришка никогда и никому бы не показал. Ведь он сам был там замаран. Нет, с его стороны опасность могла быть только для пацанов во дворе или моего папаши.

Но первые давно остались в прошлом, второй помер. И Беляков почувствовал себя безнаказанным. Однако, избавившись от страха разоблачения, он все равно продолжал убивать людей. Во-первых, потому, что за это ему очень хорошо платили, а во-вторых, потому, что он втянулся в это дело, привык. Убийства стали его работой.

Отправляясь на дело, Беляков всегда переодевался в женское платье. Его даже так и прозвали — госпожа Киллерша. Причем выбирал он женские наряды как можно более приметные. Затем он избавлялся от них в каком-нибудь укромном уголке. И уходил по оживленным улицам, не опасаясь погони. Кому придет в голову, что разряженная мамзель, которую видели рядом с жертвой, и скромно одетый мужичок — это один и тот же персонаж? Да никому! И таким образом Беляков уходил от ответственности за свои злодеяния многие годы.

Однако, выждав время, судьба все же нанесла ему удар. Когда несколько дней назад Беляков заглянул на огонек к своему давнему приятелю — Михаилу, то нашел того в страшном смятении.

— В руках у Миши была записка. Он что-то бормотал о том, что Гришка совсем свихнулся, что Федор в беде. Что пора пустить в ход фотографии, которые погубят Гришку. Что фотографии мерзкие.

Но Беляков уже не слушал слов Михаила. Краем глаза он прочитал записку. И ее содержание, плюс упоминание о фотографиях, которые могут погубить Гришку, поразили его в самое сердце. Белякова словно озарило. Он понял, что может быть спрятано в тайнике тетушки Далилы. Он стал слушать объяснения Михаила и быстро понял, насколько близка его догадка к истине.

Как Беляков разобрал шифр, которым была написана записка? Не надо забывать, что маленький Петя Беляш, как его прозвали во дворе, был дружком не только Григория, но и обоих его братьев. Мальчишки научили смышленого

Петю своему шифру. А тот его запомнил, да так хорошо, что память сохранила все значки и закорючки на долгие годы.

— Когда я понял, что Михаил намерен ради спасения брата погубить Григория, а заодно и меня с ним, у меня просто в голове помутилось. К этому времени у меня в клиентах были такие люди, которые меня самого могли в асфальт закатать, узнав, что я не рассказал им правды о себе.

Григория ожидала примерно та же участь. Он также общался с людьми, которые геям или даже тем, кого можно к ним причислить, и рядом с собой встать не разрешат. Но Петр Беляков больше беспокоился за самого себя.

— У меня просто не было выхода. Да, я застрелил Михаила. У меня был на него заказ. И кроме того, я лично был заинтересован в том, чтобы эти фотографии больше никто и никогда не увидел. А Михаил настроен был решительно. Чтобы спасти брата, он бы пустил фотографии в ход. Он мне так прямо и заявил. Прости, Петр, у меня есть фотографии, где ты и Гриша вместе. Гришка их не уничтожил, берег на всякий случай. И теперь эти фотографии у меня. А ты мне хоть и друг, но брат мне все равно дороже.

— Он имел в виду Федора?

— Ну, не Гришку же! Григория он бы списал со счетов, даже не поморщившись.

— Вы знали до этого, что у Михаила есть пленка и фотографии, компрометирующие вас?

— Откуда?!

— Значит, вы пришли к Михаилу, чтобы выполнить заказ Григория?

— Сомневался еще. Не знал, смогу ли.

— Но в женское платье все же переоделись?

— Это моя визитная карточка.

Смелый кивнул:

— Знаю. Как я уже сказал, мы вас, госпожа Киллерша, уже не первый год ищем всем составом подразделения. Только до сих пор никому в голову не пришло, что стреляет мужчина, переодетый в женщину. Ловко это у вас получалось.

— Да уж, пару раз буквально мимо выехавшего по тревоге патруля прошел. Никто меня не остановил. Сообщают ведь о женщине в яркой одежде? Ну а тут средних лет неприметный мужчинка топает. Какой с него спрос? Ох и потешался я над вашими баранами неуклюжими!

Следователь нахмурился и предложил:

— Вернемся к нашему разговору. Вы явились к Михаилу, еще толком не определившись, станете в него стрелять или же нет?

— Поговорить с ним хотел. Друг все-таки. А он мне дверь открыл, бледный такой, трясется. Я его таким и не видел никогда. И говорит, что Федька попал в переплет. Придется пускать против Гришки самое сильное оружие. Фотографии. И на меня так посмотрел виновато и сказал, что я ему друг, а брат все равно дороже.

— И вы сразу поняли, о чем речь?

— Ну, он про фотки еще что-то говорить начал. Что выкрал их у Гришки. Что понимает, как это для меня важно. Но все равно жизнь брата важнее. Брата он мне предпочел, вон как. Глядишь, реши он иначе, остался бы жив.

Но следователь не поверил. Не таков был Петр Беляков, чтобы оставлять в живых свидетелей. Киллер, которого не один десяток лет безуспешно пытались поймать полицейские всего северо-запада, никогда бы не оставил у себя за спиной такого опасного свидетеля. Михаил был обречен в любом случае. Вся эта болтовня и россказни о том, каким Петр был хорошим другом покойному, просто чушь. Беляков явился на место преступления уже в наряде госпожи Киллерши. Он шел убивать — и убил.

— И тогда вы сделали выстрел в свою жертву?

— Не скажу, что мне это легко далось.

— А что так?

Беляков вздрогнул и неожиданно охотно объяснил:

— Мне впервые пришлось стрелять в человека практически в упор. Да еще глядя ему в глаза. Я знал, что сейчас случится. И Михаил тоже успел понять, что сейчас произойдет. И если бы вы могли видеть его предсмертный взгляд... Наверное, я его уже никогда не забуду. И вы можете мне не верить, но еще в тот день я твердо решил для себя, это будет мое последнее дело.

Следователь не удержался и хмыкнул. Но убийца даже не заметил его скепсиса. Он напоминал больного лихорадкой человека. Беляков весь трясся и неустанно повторял:

— Я решил... больше никаких смертей! Довольно мне прыгать под дудку Гришки. Надоело! Сегодня Михаил, а кто завтра? Федор? Его дети? И я твердо решил для себя так, вот найду проклятые фотографии, которые переломали мне всю жизнь, освобожусь от ига, и все! Больше ни одного убийства. Хватит! Баста!

— Ну, теперь-то уж вы можете быть уверены в том, что вам удастся сдержать свое слово, — произнес Смелый. — Мы вам в этом поможем.

— Я для вас преступник, наемный убийца, но я тоже человек! Когда я убил Михаила, во мне что-то перевернулось. Внезапно я осознал, как гнусно и мерзко все то, чем я занимался последние годы. Я поклялся, что никогда не возьму больше в руки оружие. Вы должны мне верить! Занимаясь поисками тайника, о котором говорилось в записке, я никого больше не убил. А ведь это было легко! Очень легко. И на квартире Мишкиного деда, и на бывшей квартире его тетки. Всюду были люди, я мог оставить за собой много трупов, но не стал этого делать. Работал тихо.

— Работали вы тихо потому, что хотели соблюсти конфиденциальность.

Беляков ничего не ответил, и следователь задал следующий вопрос:

— Содержание записки, в которой упоминалось о тайнике тетушки Далилы, вы откуда узнали?

— Михаил мне ее протянул, а я прочел. Прекрасно помню этот шифр. Его придумал еще Федор. Вот у кого мозги варили, так это у него!

— Вы знали, что задумал Григорий в отношении Федора? Знали, что Федор находится фактически в плену у своего брата?

— Я же говорю, Михаил прямо с порога вывалил на меня всю информацию. Сказал, что Григорий похитил Федора и его детей. Держит у себя, и судьба их под угрозой.

— А раньше вы этого не знали?

— Григорий со мной своими планами не делился. А Михаил сказал, что Федор в беде. Что он прислал ему записку с просьбой о помощи. И про фотографии упомянул. Ну... что мы все по кругу ходим! Дальше вы уже все знаете. Я убил Михаила и прошелся по тайникам Далилы. Только нигде фотографий не было! В толк не возьму, откуда они у вас. Проклятые фотографии!

Беляков заломил руки, но следователь не захотел участвовать в этом фарсе. Он сухо задал следующий вопрос:

— И кто сделал эти фотографии?

— Один человек.

— Понятно. Как его имя?

— Не важно. Давно это было. Я был дураком. Гришка меня на это дело подбил. Сказал, что этот мужик тащится от мальчишек. Если мы постараемся, то он отвалит нам кучу денег. И не обманул, деньги мы действительно получили. Только потом Гришка хитро поступил. Мужику тому фотки отдал, а пленку себе оставил. Такой у них, оказывается, уговор был.

— Как имя этого фотографа?

— Какая разница? Вам с ним все равно будет не поговорить.

— Его уже нету в живых? — проявил догадливость следователь. — Ваших рук дело?

— Чего там, дело-то давнее. Наведался я к нему. Забрал те фотки, что он себе на память о нас оставил. Стал пленку искать, а нету. Свидетель мертв, спросить не у кого. Потом узнал, у Гришки пленка осталась. А с пленки фоток можно сколько угодно напечатать. Только не знал, где Гришка ее прячет. Пытался разузнать, да не смог.

— А как же пленка и фотографии попали к Михаилу?

— Понятия не имею. Да мне это и неинтересно. Главное, что я понял, фотки не у Гришки, а у Михаила спрятаны.

— Но Михаил знал про вас правду и все равно с вами после этого общаться не перестал?

— Михаил — человек широких взглядов был. Ему это и в голову не пришло.

— Вот видите, такой человек хороший был, а вы его убили.

Следователь собирался всего лишь укорить Белякова, но тот неожиданно уронил голову на сложенные перед собой руки и горестно зарыдал. И глядя на него, даже суровый следователь почувствовал, как внутри него что-то перевернулось.

ГЛАВА 18

Итак, преступник был пойман, а главный злодей наказан. Да, Григорию Селиванову по кличке Гришка Распутин не удалось уйти от ответственности. Ознакомившись с показаниями Белякова против него, а также увидев в руках следствия фотографии, Григорий Селиванов буквально позеленел. Как и Беляков, он страшно не хотел, чтобы эти фотографии увидели посторонние.

Следователь сразу понял, какое сильное впечатление произвели эти фотографии на Григория. Да Распутин и не пытался скрыть своей растерянности и испуга.

— Откуда... откуда они у вас? — прошептал преступник непослушными губами. — Они у меня... спрятаны... в сейфе!

И поняв, что сам стал жертвой чьего-то умысла, грозно взревел:

— Кто украл? Кто посмел? Говори, кто?!

Но следователь не стал отвечать ему на этот вопрос. Да и сам Григорий быстро сдулся. Орать на следователя, от которого зависит твоя судьба, не самое умное решение. Селиванов был мерзавец, но не дурак. Он быстро взял себя в руки и хмуро уставился на следователя.

— Радуйтесь. Я в вашей власти.

— Говорите, будете сотрудничать?

— А у меня есть какой-то выбор? Если я сейчас начну с вами в игры играть, вы как поступите? Вряд ли вы эти фотки просто порвете, а пленку сожжете?

— Нет. И никогда мы так не поступим. Но даю вам честное слово, что, кроме меня, этих фотографий не увидит ни один живой человек. Они будут надежно изолированы. И ваши м-м-м... коллеги про них не узнают.

Григорий колебался недолго. Он счел, что сейчас не лучшее время для торга, и наконец начал сотрудничать с правоохранительными органами.

О том, что Гришка Распутин наконец раскололся, подруги узнали от Лисицы и Эдика. А уж где эти двое нарыли ценную информацию, подруги предпочли не задумываться. Они знали, что у ребят есть свои источники, о которых они не станут говорить, хоть ножом их режь, хоть каленым железом пытай.

Подруги ничего такого и не пытались делать. К чему? У них было более верное и проверенное средство — вкусный ужин и сладкая лесть. Впрочем, справедливости ради надо сказать, что вкусный ужин на сей раз предоставили всем участникам этой истории супруги Лисицыны. В тот день, когда за Гришкой Распутиным окончательно захлопнулись двери его тюремной камеры, а строительная компания «Эрнст» прекратила свое существование и приказала долго жить, Богдан с Ларисой устроили небывалый пир в своем чудом отвоеванном коттедже.

Бумаги на Григория Распутина были переданы в суд. Теперь можно было смело праздновать свою победу.

На праздник были званы родители с обеих сторон, друзья, коллеги и родственники. Друзья родственников и родственники коллег также могли прийти, если желали. Счастливые супруги были рады разделить свою радость со всем миром. Лариса на время забыла о своей обычной рачительности, сидя на телефоне и заказывая одну машину с едой и питьем за другой, а Богдан распотрошил одну из своих заначек.

Причем торжественно поклялся при этом жене:

— Это было в последний раз, когда я прячу от тебя деньги, дорогая. Больше никогда!

— Почему же? — весело отозвалась Лариса. — Я совсем не против получить маленький, но очень приятный и такой... незапланированный подарочек. Откладывай, дорогой, в кубышку, сколько хочешь. Я же знаю, все равно рано или поздно, а денежки ты потратишь на нас.

Подругам, учитывая их заслуги, было послано отдельное приглашение. Богдан лично наведался к ним и пригласил:

— Приходите обязательно, без вас праздник будет не праздник. И Лисицу с Эдиком приводите. Без них меня бы уже в живых не было.

И вот теперь подруги сидели за нарядно накрытыми столами, которых было так много, что в доме они все не поместились, а были выставлены на свежем воздухе. Специально вызванная Ларисой бригада официантов расставила столы в саду, укрыв сверху навесом от возможных осадков и увив его гирляндами фонариков. Столы были накрыты белыми скатертями и украшены цветами. Они буквально ломились от обилия еды и напитков. Лариса постаралась, чтобы для каждого нашелся на столе хоть один лакомый кусочек.

Кто не любил мясо на гриле, мог получить шашлык из осетрины. Для любителей острой мексиканской еды были приготовлены отдельные блюда. Тарелок с суши и роллами было так много, что глаз невольно раз за разом натыкался на них, путешествуя по лабиринтам из зеленых салатов, оливье, мясной, рыбной и сырной нарезки. Икра была кабачковая, баклажанная, грибная и красная. Хачапури, паста, пицца, хинкали, ризотто и утка по-пекински. За столом было все и даже еще немножко.

Выпивки было столько, что сначала подругам показалось, гости столько не выпьют. Но после двух часов застолья сыщицы поняли, они ошибались. Выпьют, да еще может и не хватить. Вино лилось рекой. Всех охватила какая-то необычная эйфория. По всем прикидкам дом Лисицыных должен был быть снесен, а сами они в лучшем случае остались бы нищими. Но произошло настоящее чудо. И дом был цел, и супруги сидели рядом, впервые за много лет обмениваясь не колкостями, а ласковыми словами.

Подруги явились на праздник вместе с Лисицей и Эдиком. Всех четверых немедленно усадили во главе стола. Настолько во главе, что даже Богдан с Ларисой были где-то сбоку, в сторонке.

— Дорогие вы наши и любимые, — разливалась соловьем Лариса, то потчуя спасителей своего мужа лакомым кусочком, то подливая им выпивки, а то просто целуя их от избытка чувств. — Да что бы мы без вас делали! Богдан бы погиб. Дом снесли. А я бы умерла от горя! Вы оба — мои герои! Да, да, не спорьте! Настоящие благородные рыцари. Я вами восхищаюсь!

Но если Лариса говорила это от чистого сердца, то Кира с Лесей оказались более корыстными. Они хвалили своих друзей с далеко идущими планами. Девушкам очень хотелось узнать некоторые подробности истории, в которой довелось поучаствовать им всем. У прекрасных сыщиц накопилась к своим друзьям масса вопросов. И они знали, что у Лисицы и Эдика есть ответы на все их вопросы.

Поэтому, когда ребята достаточно напились, наелись и наслушались в свой адрес комплиментов, которые то и дело звучали за праздничным столом в виде тостов, Кира осторожно спросила:

— Так что?.. Получит все-таки Федор наследство своего заокеанского батюшки?

— Получит, — откликнулся Лисица. — Никаких сомнений в этом нет. Федор — единственный наследник своего отца.

— Но мы слышали, что Леонид Пельцер, оказавшись в США, снова женился.

— Однако других детей, кроме Федора, у него так и не появилось. Поэтому Федору совершенно нечего волноваться. Он наследник. И отныне никто не в силах ему помешать. Скажу вам более того, несмотря на опасения врачей, что длительный перелет может ему повредить, Федор вместе со своими детьми сегодня уже вылетел в Штаты. Впрочем, к суду над Григорием он обещал вернуться.

— А когда будет суд?

— Думаю, что не раньше чем через полгода. За Григорием столько всего числится, но не во всем он жаждет признаваться. Ведь некоторые его преступления могут потянуть и на высшую меру наказания.

— И фотографии не помогают?

— Они действуют только до определенной степени, — туманно отозвался Лисица.

Видя, что приятель не хочет вдаваться в объяснения относительно совершенных Григорием Распутиным преступлений, подруги задали ему другой вопрос:

— А как же злополучные фотографии попали к Михаилу в руки?

— Всему виной случай.

— А именно?

— Скажем вам, так вы и не поверите, — мгновенно повеселев, отозвался Лисица.

— А вы попробуйте.

— Вы, конечно, обе хорошо помните, что у Михаила страсть была к молодым и красивым девкам? Набирал он их себе, откуда только возможно. Объявления в газетах и журналах давал. В Интернете собственный сайт имел. И все ради того, чтобы иметь вокруг себя много учениц, быть окруженным молодыми и красивыми женщинами.

Волшебным образом женщины, явившиеся на занятия к Михаилу, может быть, и не слишком яркие вначале, обретали уверенность в себе, начинали чувствовать в себе силы и женскую сакральную власть над мужской половиной человечества. А вместе с осознанием этой силы к ним приходила привлекательность. Как следствие этого, они быстро находили себе мужей или спутников жизни. К Михаилу они после этого наведывались редко или же вовсе забывали дорожку к нему на долгие месяцы. Поэтому на места выбывших из строя Михаилу постоянно приходилось вербовать себе новеньких учениц.

— И вот странно, сам из себя Михаил не слишком красив был...

— Страшнее обезьяны!

— А девушки и молодые женщины по нему прямо сохли. Ни одна не ревновала Михаила к другим ученицам. И более того, даже выйдя замуж, они продолжали сохранять со своим учителем нежные и теплые отношения. Хоть и редко, а все-таки навещали его. А вот Гришка хоть из себя и красавец, да и богач к тому же, но женщины от него как черт от ладана шарахались.

— Ну а как же с фотографиями-то?

— Я к тому и веду. Умейте дослушать до конца.

— Можно я расскажу дальше? — подал голос Эдик.

Лисица снисходительно кивнул, отхлебнув вина, а Эдик продолжил за своего начальника:

— Получилось так, что одна из Гришкиных подруг, звали ее Вера, увидела где-то Мишино объявление. Оно ее заинтересовало, как и многих других. И эта Вера попросилась в ученицы к Михаилу. О том, что ее учитель является еще и братом ее любовника, по ее словам, она на тот момент и знать не знала. Новая ученица Михаилу приглянулась. Слово за слово, дружба у них началась нешуточная. Причем Михаил слушал, а Вера говорила. И по истечении месяца или двух Михаил знал о Вере буквально все. Именно Вера и рассказала ему, что у ее хахаля — страшного человека по кличке Распутин — имеется в сейфе некая пачечка фотографий, где он натуральным образом с другим парнем любовью занимается.

— Разумеется, Михаилу такая информация о его брате очень занимательной показалась, — не утерпел и вмешался Лисица.

— Мозги у него всегда хорошо варили, вот он и придумал, как Гришку за одно место подвесить. Попросил у этой девчонки, чтобы она пленку подменила.

— Только пленку?

— Если все фотографии из сейфа забрать — это заметно будет. Так Михаил решил, и был совершенно прав. Григорий регулярно проверял сохранность фотографий, каждая из которых позволяла ему держать в своей власти Белякова, но могла погубить и его самого. Итак, фотографии оставались на своем месте, сердце Григория было спокойно. А пленку каждый раз не будешь ведь проверять. Лежит себе и лежит. А что там не та пленка, а другая, Григорий узнал лишь на допросе у следователя. Таким образом, и Вера чистенькой осталась, и Михаил свою игру сыграл с братцем. Теперь у него против Григория был на руках крепкий компромат.

— Итак, у Михаила оказалась только сама пленка?

— Да, а с нее он уж себе фотографий напечатал, сколько ему нужно было и в каком угодно масштабе. И эту же пленку он перевел в цифру. Так что теперь он был вооружен против Григория по полной программе.

— Жаль только, что ему не довелось пустить свое оружие в ход самому.

— У Михаила было доброе сердце. Он не хотел окончательно губить брата. Выжидал до последнего, все надеялся, что тот образумится.

— Вот и дождался.

— И схлопотал пулю в лоб!

— Хорош подарок от братца!

Лисица кивнул:

— Все, кто знал Гришку Селиванова в молодости и знал также его семью, говорили, что он паршивая овца в стаде.

Кира взглянула на своего друга и спросила:

— Но ты ведь слышал об этом человеке и раньше?

— Григорий Распутин — известная фигура в мире российских мафиози.

— И ты занимался совершенными им преступлениями? Пытался привлечь Гришку к ответственности?

— С чего ты взяла?

— В твоей базе данных не было никакой информации о Михаиле Добрякове. Мы с Лесей уже потом догадались, что это потому, что Михаил был братом преступника. Ты не упомянул о нем, чтобы случайно не натолкнуть постороннего человека на след этого опасного преступника. Так?

— Кто-то очень любопытный, как вы, например, мог влезть в слишком опасную историю.

— Мы рады, что Григорий получит по заслугам. Вот только странно, оба его брата оказались нормальными людьми, а этот вырос отъявленным негодяем.

Лисица вновь кивнул. А Эдик еще и важно прибавил:

— Как говорят, в семье не без урода!

Итак, эта история для всех, оставшихся в живых, закончилась вполне счастливо или, по крайней мере, справедливо. Федор получил огромное наследство. А его брат Григорий — более чем солидный срок заключения. К тому же хоть следователи и выполнили данное преступнику слово, спрятали компрометирующие его фотографии в самый дальний угол архива, но сведения о них откуда-то просочились в тот мир, в котором Гришка играл такую значительную роль.

Доказательств на руках ни у кого из воровских авторитетов, с которыми Григорий имел дело, не было, но это не помешало им обсудить эту историю на сходке между собой. А обсудив, они пришли к единственно верному решению: дыма без огня не бывает. Так что репутация Григория в криминальных кругах здорово пошатнулась. А учитывая тот факт, что из мест лишения свободы он не сможет руководить своей империей, то вернувшись с зоны, он рискует быть и вовсе похороненным под ее обломками.

Судьба киллера Петра Белякова по прозвищу госпожа Киллерша оказалась еще более печальной. Его нашли в камере мертвым. Видимых следов насилия на теле не было, тем не менее по этому факту была заведена прокурорская проверка.

Сами подруги полагают, что проверка ни к чему не приведет. А киллер сам стал жертвой заказа. Те люди, которые прибегали к услугам госпожи Киллерши, поспешили оборвать все ниточки, ведущие от него к ним. Ведь только мертвые не будут болтать. Живой Беляков мог быть постоянной угрозой тем, кто давал ему прежде работу.

— А мне почему-то его даже жалко.

— Жалко? Да он ведь убийца!

— Он всего лишь исполнитель. Если бы не он, заказчики нашли бы для грязной работы кого-нибудь другого. Вся основная вина на них. И Белякова мне жалко. Несчастный он.

Но Кира с подругой не согласилась.

— Жалко ей! А если бы он получил заказ на устранение тебя самой? Тебе его и тогда было бы жалко? Пожалей лучше тех людей, которые по его вине остались без своих близких!

И все равно ей не удалось переубедить упрямую Лесю. Та продолжала считать Петю Белякова жертвой, а не преступником. Даже тот факт, что Беляков застрелил своего друга, которого знал с детства и который никогда не делал ему зла, Леся во внимание принимать не хотела.

— Вспомни, он ведь раскаялся на допросе у следователя!

— Это была игра! Беляков рассчитывал разжалобить следователя.

Но Леся упрямо трясла головой в ответ:

— Раз Михаил дружил с Беляковым, значит, тот был еще не потерян для общества.

— И где сейчас сам Михаил? — возражала Кира. — К чему привела его дружба с киллером?

— Он же не знал, кто его друг.

— Надо было знать. Тогда и у этой истории мог быть совсем другой конец.

Михаил был похоронен на кладбище рядом со своим отцом и дедом. По его завещанию квартира профессора Добрякова на веки вечные поступала в совместное пользование всех путешественников и первопроходцев, которым надо было остановиться в Питере, но которые не имели тут знакомых или денег на гостиницу. А в той квартире, где жил он сам, Михаил распорядился устроить музей имени себя самого.

Своей душеприказчицей он назначил ту самую Галину, с которой довелось познакомиться Кире. Девушка очень серьезно отнеслась к порученному ей заданию и взялась за его выполнение со всей серьезностью и ответственностью. Того и другого Галине не занимать. Так что в скором времени музей будет открыт.

Что касается мелкого мерзавца Эрнста, то он разделил судьбу своего босса. Правда, в своем собственном масштабе. Григорий Распутин отправился за решетку на долгие годы, Эрнст же отделался штрафом и двумя годами условного срока. Как говорится, по Сеньке и шапка.

О том, чтобы снести дом Ларисы и Богдана, теперь речь даже не идет. Строительство поселка заморожено на многие годы, если не навсегда. И теперь проблемы возникли уже у тех людей, которые неосмотрительно доверили деньги «Эрнсту». Они вложили свои капиталы в строительство своих будущих домов, но вместо уютных коттеджей получили ничего не значащие бумажки.

Но Лариса по этому поводу сказала так:

— Безусловно, этих людей мне очень жаль. Сама побывала на их месте, знаю, о чем говорю. Но, к счастью, они все сделали лишь первый взнос. Потеря его очень неприятна, но не смертельна. Да и вообще, лично для себя я сделала вывод, никакие блага этого мира не стоят потери любимого человека. Те, кто находится рядом с нами, кого мы любим, они и есть самое величайшее наше богатство. Его и надо хранить и беречь, а все остальное — просто хлам, бумажный или металлический мусор.

В этом подруги согласны с ней целиком и полностью. Сами они обрели себе в этой истории новых друзей, которых очень ценят. И есть надежда, что друзья эти в скором времени приобретут куда более внушительный статус.

Лисица, к примеру, все чаще заговаривает о том, что рано или поздно каждому человеку приходит время остепениться, обзавестись семьей и детьми. При этом Лисица поглядывает краем глаза на Киру, которая хоть и старается выглядеть невозмутимой, но ясно, что довольна просто до чертиков.

Эдик стал таким частым гостем в коттедже у двух подруг, что девушки даже отвели ему отдельную гостевую спальню. Эта комната — последняя из четырех имеющихся в доме спален. Так что теперь домик подруг в их «Чудном уголке» полностью укомплектован жильцами.

И самое главное, кошки подруг — Фантик и Фатима — приняли Эдика как родного с первого же его посещения. А это, как успели убедиться девушки за долгие годы знакомства со своими питомцами, значит куда больше, чем все золото мира, векселя и ценные бумаги, которыми может похвастаться человек.

ОГЛАВЛЕНИЕ

Литературно-художественное издание

ДЕТЕКТИВ-ПРИКЛЮЧЕНИЕ Д. КАЛИНИНОЙ

Калинина Дарья Александровна

БЕЗ ШТАНОВ – НО В ШЛЯПЕ

Ответственный редактор *О. Рубис*
Редактор *М. Бродская*
Художественный редактор *С. Киселева*
Технический редактор *Г. Романова*
Компьютерная верстка *Е. Мельникова*
Корректор *Д. Горобец*

Иллюстрация на переплете *В. Остапенко*

ООО «Издательство «Эксмо»
127299, Москва, ул. Клары Цеткин, д. 18/5. Тел. 411-68-86, 956-39-21.
Home page: **www.eksmo.ru** E-mail: **info@eksmo.ru**

Өндіруші: «ЭКСМО» АҚБ Баспасы, 127299, Мәскеу, Клара Цеткин көшесі, 18/5 үй.
Тел. 8 (495) 411-68-86, 8 (495) 956-39-21.
Home page: www.eksmo.ru . E-mail: info@eksmo.ru.
Қазақстан Республикасындағы Өкілдігі: «РДЦ-Алматы» ЖШС, Алматы қаласы,
Домбровский көшесі, 3«а», Б литері, 1 кеңсе. Тел.: 8(727) 2 51 59 89,90,91,92,
факс: 8 (727) 251 58 12 ішкі 107; E-mail: RDC-Almaty@eksmo.kz
Қазақстан Республикасының аумағында өнімдер бойынша шағымды Қазақстан
Республикасындағы Өкілдігі қабылдайды: «РДЦ-Алматы» ЖШС,
Алматы қаласы, Домбровский көшесі, 3«а», Б литері, 1 кеңсе.
Өнімдердің жарамдылық мерзімі шектелмеген.

Сведения о подтверждении соответствия издания согласно
законодательству РФ о техническом регулировании
можно получить по адресу: http://eksmo.ru/certification/

Подписано в печать 29.03.2013.
Формат 84x108 1/32. Гарнитура «Таймс».
Печать офсетная. Усл. печ. л. 18,48.
Тираж 2 800 экз. Заказ 5815.

Отпечатано с электронных носителей издательства.
ОАО "Тверской полиграфический комбинат". 170024, г. Тверь, пр-т Ленина, 5.
Телефон: (4822) 44-52-03, 44-50-34, Телефон/факс: (4822)44-42-15
Home page - www.tverpk.ru Электронная почта (E-mail) - sales@tverpk.ru

ISBN 978-5-699-63829-1

ДЕТЕКТИВ-ПРИКЛЮЧЕНИЕ
Дарья Калинина
Все мы, женщины, немного авантюристки. Осторожны мы или импульсивны, консервативны или взбалмошны, в нашей душе всегда найдется местечко для проказ, интриг и эпатажа. И, конечно же, не можем жить без приключений!
Дарья Калинина
Золото фамильного склепа
Дарья Калинин
Шустрое ребро Адама
Дарья Калинина
Перед смертью не накрасишься
www.eksmo.ru
Наверное, именно поэтому детективы Дарьи Калининой
привлекают настоящих женщин!
2011-330